Karin Sugano

Das Rombild
des Hieronymus

PETER LANG

Frankfurt am Main · Bern · New York

CIP-Kurztitelaufnahme der Deutschen Bibliothek

Sugano, Karin:

Das Rombild des Hieronymus / Karin Sugano. -
Frankfurt am Main ; Bern ; New York : Lang,
1983.
   (Europäische Hochschulschriften : Reihe 15,
   Klass. Sprachen u. Literaturen ; Bd. 25)
   ISBN 3-8204-7723-3
NE: Europäische Hochschulschriften / 15

D 61
ISSN 0721-3433
ISBN 3-8204-7723-3
© Verlag Peter Lang GmbH, Frankfurt am Main 1983

Druck und Bindung: Weihert-Druck GmbH, Darmstadt

PATRI ✝

MATRIQUE

GRATIAM REFERAM

ET MARITO

FILIOLAEQUE

ADMODUM PATIENTIBUS

GRATIAM HABEO

VORWORT

In Verbindung mit meinem Studium der Theologie hatte ich in
der Lateinischen Philologie von jeher großes Interesse an den
christlichen lateinischen Autoren. Daher habe ich auf Anregung
meiner verehrten Lehrerin Prof. Ilona Opelt diese Untersuchung
zum Rombild des Hieronymus gern unternommen.
Prof. Opelt hat mich nicht nur während meines Studiums an der
Universität Düsseldorf wohlwollend gefördert, sondern auch meine
Arbeit an dieser Dissertation mit besonderer Anteilnahme be-
gleitet und mit weiterführender Kritik unterstützt. Dafür weiß
ich mich ihr stets zu Dank verpflichtet.
Meine Freundin Brigitte Axster hat mir sehr sachkundig bei der
Durchsicht der Manuskripte geholfen und mir manchen guten Rat
gegeben. Auch dafür ganz herzlichen Dank!

INHALTSÜBERSICHT

EINLEITUNG

Die Selbstauffassung der Römer[1], ihre Reflexion also über Wesen und Bestimmung ihres Volkes, ihrer Herrschaft und ihrer Stadt Rom hat immer wieder zu Untersuchungen gereizt, müssen wir doch die Authentizität unserer modernen Romauffassung immer auch an dem messen, was die Römer selbst über sich gedacht haben.

Den Beginn einer theoretisierenden römischen Selbstbetrachtung mit Cicero anzusetzen[2], ist sicher nicht verfehlt, markiert ein Gipfelpunkt doch immer zugleich auch Wende und Abstieg. Zunächst zeigt die Entwicklung des römischen Selbstverständnisses freilich eher ein positives Bild, doch in der Ausprägung des Romgedankens der augusteischen Zeit liegt, da gleichzeitig schon eine mythische Über-Formung stattfindet[3], bereits der Keim des Niedergangs, oder anders ausgedrückt, das Entstehen einer Romidee ist Symptom für den beginnenden Untergang dessen, was das reale Rom einmal an Werten repräsentierte. Folgerichtig nimmt die Theorie im gleichen Maß zu wie die zugrundeliegende Realität schwindet[4]. So kommt es zur stärksten Ausprägung der Romidee im Zusammenprall mit einer völlig andersartigen geistigen Macht: dem Christentum. Die pessimistische Reichsauffassung des Heiden Tacitus[5] zu einer Zeit, als das Christentum bereits seinen Platz in der Geschichte beanspruchte, mag als untypisches Vorspiel gelten zu dem, was schließlich unvermeidlich war: der Untergang der antiken Welt[6]. Der geistige Kampf wurde geführt zwischen denen, die in Jahrhunderten gewachsene und erprobte Werte und Traditionen hochhielten, und denen, die Jesus Christus verkündeten, eine Lehre, in der Rom ursprünglich keinen Platz hatte.

KOCH[7] drängt die Ereignisse, die in der Folge noch über einen sehr langen Zeitraum hin abrollen sollten, in ein einheitlich getöntes Bild zusammen von einem Rom, das nach anfänglichem Kampf ins Christentum aufgenommen wird, eine Stätte in Gottes Heilsplan findet, Abglanz des himmlischen Jerusalem wird und schließlich "ewiges Rom".

Daß dieses Nachzeichnen der Überlebensgeschichte der Romidee
nur e i n Aspekt des historischen Ablaufs sein kann und zudem das Zusammenwachsen der antiken und der christlichen Welt
nicht so glatt und harmonisch verlief, versteht sich von selbst.
Davon zeugt nicht zuletzt die große Zahl der Arbeiten zum Rom-
verständnis gerade dieser Epoche[8]. Andererseits haben gerade
auch wir als Erben einer auch heute noch christlichen und heute
noch abendländischen Kultur ein besonderes Interesse an jenem
Entstehungsprozeß, den KOCH so beschreibt[9]: "Es war eine der
entscheidenden Wendungen in der abendländischen Geistes- und
Kulturgeschichte, als es am Ende der Antike gelang, die beiden
beherrschenden Mächte, Christentum und Romidee, die neue, sieg-
haft aufblühende Staatsreligion und den Gesamtbestand außer-
christlicher Menschheitswerte, den man im Bilde Roms als Einheit schaute und verehrte, miteinander zu verschmelzen."
Dies ist eine Hypothese, eine hinreißende freilich, zugegeben,
doch was sich am Ende der Antike wirklich abspielte, wird mit
Sicherheit niemals in einer Zusammenschau so gedeutet werden
können, daß keine Einwände mehr möglich sind. Was uns bleibt,
und was auch vielfältig ausgeführt worden ist, sind sorgfältige
Einzeluntersuchungen zum Thema, die wegen der sachlichen Be-
schränkung einen höheren Grad an Wahrscheinlichkeit beanspruchen
können.
Einen möglichen Weg hat PASCHOUD mit seinem Buch "Roma aeterna"
aufgezeigt, einem wahrhaft monumentalen Werk, einer Arbeit, die
allein schon durch die Fülle der parallel gebotenen Informatio-
nen und die Intention wertvoll ist und die darüberhinaus manch
neuen Einblick, manch neue Erkenntnis bietet.
PASCHOUD hat endlich auch grosso modo einen Autor einbezogen,
der bisher in der Romidee-Forschung nicht berücksichtigt worden
war, der aber mit einbezogen werden muß, wenn wir in der Zeit
des ausgehenden 4. Jahrhunderts nach Christus die Zeit des Um-
bruchs sehen wollen[10]: Hieronymus. Anders als seine beiden
großen Zeitgenossen Ambrosius von Mailand (ca. 339-397) und
Augustinus von Hippo (ca. 354-430) hat man ihn nie zum Gegen-
stand einer Untersuchung gemacht, die sein Rombild zum Thema hat.

Ambrosius' Stellung zu Rom ergibt sich aus dem Wirken dieses
Mannes als Kirchenpolitiker[11]. Wenn einer, dann verkörpert er
Synthese und sucht sie, nicht im Sinn einer Integrierung heid-
nischer Wertvorstellungen in die christliche Kirche[12], sondern
als selbstverständliche Einbringung der Tugenden eines civis
Romanus in die christliche Religion[13]. So ist er nach CAMPEN-
HAUSEN[14] "recht eigentlich der Begründer eines neuen kirch-
lichen Romanismus", verficht also ein Christentum im römischen
Gewand, in römischer Ausprägung; als Römer war er Christ, und
Römer sind ihm die eigentlichen, die richtigen Christen[15].
Freilich ist Ambrosius kein Theoretiker. Als Politiker auf dem
Bischofsstuhl agiert und reagiert er, und seine Bedeutung ist
so eher auf seine Zeit beschränkt als wirksam für die Zukunft
oder gar in unsere Gegenwart hinein.
Augustins Wichtigkeit in der Frage nach dem Fortleben der
Romidee im Christentum ist immer gesehen, seine Rolle im oben
angesprochenen Verschmelzungsprozeß ist mit Vorliebe untersucht
worden[16]. Der Anlaß zu solcher Bevorzugung liegt natürlich in
Augustin selbst bzw. in seinem Werk, vor allem in seiner Über-
windung einer vordergründig-politischen Romanitas, der Schrift
de civitate dei.
Über die Philosophie zum Christentum kommend[17], wird er, der
Theoretiker von Anbeginn, zum Theologen, gelangt von einer grundsätzlichen Kritik der heidnischen Kultur[18] zu einer systematischen Auseinandersetzung mit dem geschichtlichen Rom und
überwindet dieses samt seinen auch den Christen so unverzichtbar
erscheinenden Traditionen in einem über die Antike hinausreichen-
den Entwurf einer Geschichtstheologie[19].
Hieronymus' Werk dagegen hat bisher noch niemanden zu einer
gründlichen Einzeluntersuchung über sein Verhältnis zu Rom
inspiriert. Dies mag darin begründet sein, daß seine Romäuße-
rungen zusammenhanglos, mehr zufällig und auch völlig kontrovers
erscheinen und damit nicht gerade zu einer systematischen Darstellung anregen[20]. Während sich Augustins wie Ambrosius' Haltung zu Rom als geschlossene Einheit begreifen läßt, fällt es
offensichtlich schwer, über Hieronymus' Romauffassung etwas

durchweg Gültiges auszusagen, so daß PASCHOUD, der doch einen
zusammenhängenden Überblick zu geben versucht, am Ende wieder
das Verhältnis dieses Kirchenvaters zu Rom in Antithesen dar-
stellt[21]: Apokalyptischer Antiromanismus einerseits und politische Theologie des Eusebius andererseits. Haß auf Rom wegen
des persönlichen Mißerfolgs dort einerseits und als Autor der
Vulgata führender Vertreter lateinischer Kultur andererseits.
Verkündung des verdienten Endes der römischen Welt einerseits
und Hoffnung auf Rettung andererseits.

Sollte man aber nicht skeptisch werden bei der Vorstellung,
daß ein Mann von der geistigen Kapazität eines Hieronymus Rom
gegenüber nur kontrovers denken, sich nur inkonsequent verhalten konnte? Und wenn dies wirklich so wäre, wie kommt es dazu?
Es ist doch immerhin ein auffallendes Phänomen, daß sich das
Rombild dieses Mönchs, der zu den hervorragendsten Gestalten
der lateinischen Kirche zählt, nicht fassen läßt oder dessen
Fehlen nicht erklärt werden kann.

Es blieb also gar nichts anderes übrig, als das Gesamtwerk des
Hieronymus noch einmal auf ein Rombild hin zu überprüfen. Das
Ergebnis dieser Untersuchung liegt in der folgenden Arbeit vor.

TEIL I

ROM UND DIE RÖMER IM LEBEN DES HIERONYMUS

1. Eine Jugend in Rom

a) Hieronymus - homo Romanus?

Natürlich soll den bisherigen bekannten Biographien des Hieronymus[1] keine neue, keine auch nur partielle, hinzugefügt werden. Wiederholungen werden sich aber nicht immer vermeiden lassen, zumal ich mich ja auf die Ergebnisse der genannten Arbeiten, die ich dankbar benützt habe, stütze. Doch hoffe ich über das Referieren gesicherter Fakten hinaus Neues vorbringen zu können, da meine Untersuchungen ausschließlich vom Blickpunkt Rom her geführt werden.

Wie lange sich Hieronymus, der Mann aus Stridon in Dalmatien[2], eigentlich in Rom aufgehalten hat, ist nicht genau auszumachen, es mögen höchstens 13 Jahre insgesamt gewesen sein, mit einer langen Unterbrechung zwischen den ersten zehn (?) Jahren, die der Ausbildung und dem Studium dienten[3], und dem späteren dreijährigen Aufenthalt in geachteter und einflußreicher Position. Dies ist nicht gerade viel Zeit im langen Leben[4] unseres Kirchenlehrers, dessen fruchtbarste Phase mit seinem bethlehemitischen Lebensabschnitt (das waren immerhin 35 Jahre) zusammenfällt. Und doch nennt sich Hieronymus voll Stolz einen homo Romanus[5]. Dies ist natürlich aufgefallen[6], zumal Hieronymus sich kaum sehr anhänglich an Heimat und Elternhaus zeigt[7]. Aber meines Erachtens hat man dieser Tatsache einerseits zu viel Gewicht beigemessen, andersrseits das Phänomen niemals zu erklären versucht. Denn wer ist denn eigentlich Römer? Das römische Bürgerrecht kann nicht das Kriterium gewesen sein, das man für Hieronymus verlangte, denn dann wäre nichts Verwunderliches an seiner Behauptung. Aber man kann die Definition eines Römers auch nicht auf den beschränken, der in Rom geboren ist, denn niemandem würde es einfallen, Cicero nicht für einen Römer zu halten, oder auch Seneca, der doch genau wie Hieronymus nicht

einmal aus Italien stammt. Oder sollte nur die Dauer des
Lebens und Wirkens in Rom zählen? Dann hätte selbst Caesar
Schwierigkeiten, sich als Römer zu beweisen.

Nun mag man aber einwenden, daß mit dem Fortschreiten der Aus-
dehnung des Reichs und dem gleichzeitigen Rückgang der politischen Bedeutung Roms das Selbstbewußtsein der Provinzenbe-
wohner gewachsen, eine oft innige Heimatliebe entstanden ist
(man denke nur an Hieronymus' Freund Heliodor, der aus Liebe
zur Heimat sein Eremitenleben aufgab, ep.14), die sicher auch
mit einem gewissen Desinteresse an der ehemaligen Reichshaupt-
stadt oder gar einer Abkehr von ihr einhergegangen ist: Ein
Augustin hat sich nie als Römer verstanden[8]! Nun kennen wir
aber auch Rutilius Namatianus, den jüngeren Zeitgenossen des
Hieronymus. Er, der das Schicksal seiner südgallischen Heimat
beklagt und sich ihr verpflichtet fühlt, hat andererseits auch
Rom, seine Wahlheimat, in geradezu exzessiver Weise idealisiert[9].
Und diese Haltung ist keineswegs auf das Heidentum beschränkt,
wie uns das Beispiel des Prudentius zeigt[10].

Man sieht also: Die Tatsache, daß Hieronymus sich als Römer
fühlt, ist nicht so sehr verwunderlich (eher erstaunt vielleicht sein Mangel an Heimatliebe in seiner Zeit). Doch es gilt
die Art seines Römertums herauszufinden.

b) Einfluß der römischen Schule

Die Zeit vom zwölften Lebensjahr an etwa bis zum zwanzigsten
mag Hieronymus in Rom verbracht haben. Es ist das Lebensalter,
das gekennzeichnet ist von tiefer Sensibilität gegenüber der
Umwelt und einer stürmischen inneren Entwicklung. Besonders die
Jugendjahre sind in gewisser Weise prägend für das spätere
Leben: Soziale Bindungen, Freundschaften aus dieser Zeit sind
gewöhnlich dauerhaft und tief, eine Weltanschauung formt und
festigt sich[11]. Und wie sehr tatsächlich diese Ausbildungszeit[12]
in Rom bei Hieronymus Spuren hinterlassen, seine Persönlichkeit
geprägt hat, können wir in seinen Werken feststellen.

Der Unterricht, den der junge, bisher christlich erzogene[13]
Hieronymus erhielt, war heidnisch wie überhaupt das ganze

damalige Schulsystem[14]. Die ersten Jahre dienten der Unterweisung in Grammatik, also der Beschäftigung mit der Literatur,
bei dem wohl ebenso beeindruckenden wie berühmten Donatus.
Hieronymus setzt ihm in seiner Bearbeitung der Eusebischen
Chronik ein Denkmal (chron. a. Abr. 2370) und erwähnt ihn adv.
Rufin. 1,16 sowie in einer kleinen Szenenschilderung in eccles.
1,9 p. 257, immer mit dem ausdrücklichen Zusatz "praeceptor
meus". Unverkennbar ist er darauf stolz, bei dem berühmten Mann
in die Schule gegangen zu sein. Dem offensichtlich sprachbe-
gabten Jungen prägen sich die Worte der behandelten Autoren
leicht und in großem Umfang ein; noch bis ins hohe Alter ist er
in der Lage, assoziativ aus dem Gedächtnis zu zitieren[15].
Ausgiebig macht er später in seinen eigenen Werken von dem
Schatz der Schriften Gebrauch[16], die er in Rom durch Vermittlung Donats oder aus eigener Initiative[17] kennengelernt hat.
Und mit den Worten der Klassik[18] hält auch deren Geist in ihm
Einzug, öffnet er sich den Gedanken, die er auch später als
angesehener Lehrer der Kirche nicht verschmähen wird, ein
bestimmtes Selbst- und Weltverständnis wird in ihm grundgelegt.
Er wird zum stolzen traditionsbewußten Römer.
Heidnisches Gedankengut ist ihm manchmal so vertraut, daß er
es zur Erklärung eines biblischen Propheten benutzt (und zwar
nicht als offenes Zitat, sondern in völliger Harmonie und Ver-
wobenheit mit seinem Gedankengang)[19], da ihm der Inhalt im
christlichen Sinn nicht verdächtig ist.
Er schöpft sogar reichlich aus heidnischer Tradition, wenn sie
ihm ins christliche Bild paßt, wie adv.Iovin.1,14, wo ihm
römische Hochschätzung der Virginität seine eigene Auffassung
zu stützen scheint: "certe Romanus populus quanto honore vir-
gines semper habuerit, hinc apparet...". Gleich ein Kapitel
weiter benutzt er ein heidnisches Parallelbeispiel, um die
christliche Jungfrauengeburt plausibel zu machen (adv.Iovin.
1,42): "ac ne nobis Dominum Salvatorem de Virgine procreatum
Romana exprobraret potentia, auctores urbis et gentis suae
Ilia virgine et Marte genitos arbitrant".[20]
Sogar in einer geschlossenen Atmosphäre christlichen Glaubens

(wie man sie jedenfalls vermuten sollte, wenn ein christlicher Mönch (Hieronymus) einem befreundeten Bischof (Heliodor) ein Trostschreiben widmet zum Tod seines Neffen) kommen die Früchte der heidnischen Schulbildung zum Vorschein: Vor dem sehr kurz gehaltenen Kapitel über die christliche Trauer (das eingeleitet ist durch die Worte "igitur ad nostra veniamus"!) läßt Hieronymus eine lange Reihe beispielhafter Helden aufmarschieren – im Kunstgriff der Präteritio nennt er eine Fülle von bekannten Namen aus der römischen Geschichte – die den Tod ihrer Angehörigen in geziemender Weise trugen (ep.6o,5)[21].

Heidnische Bildung scheint manchmal geradezu eine Voraussetzung für einen schriftstellerisch tätigen Christen zu sein: Im Vollgefühl seiner eigenen Überlegenheit auf diesem Gebiet mokiert sich Hieronymus über die Schwächen der Bildung und des Stils seiner Gegner, wenn auch nicht immer so massiv wie in ep. 5o (Kap. 1 und 2)[22].

Die Rhetorik allerdings hat Hieronymus niemals ausdrücklich als etwas Positives vertreten; zwar hat er sich vieles aus ihr faktisch zu eigen gemacht, dies ließ sich bei der gründlichen Schulung wohl auch gar nicht vermeiden, doch distanziert er sich mehr und mehr davon bzw. leugnet überhaupt, sich ihrer zu bedienen. Auch scheinen seine rhetorischen Reminiszenzen nicht immer mit angenehmen Gedanken verknüpft[23]. Im Zusammenhang mit dem Christentum jedenfalls hat Hieronymus immer Rhetorik als etwas für die Kirche Christi Unpassendes abgelehnt[24].

Doch wie sehr er den Wert der traditionellen römischen Literatur auch schätzte, wie sehr er, der selbst bald zu den Hervorragenden dieser Kunst zählen sollte[25], ausgefeilten Stil und gekonnten Umgang mit der Sprache (mit der lateinischen Sprache[26]) genoß[27], ganz wohl kann dem Christen Hieronymus dabei von Anfang an nicht gewesen sein. Liefen nicht die Inhalte der Klassikerworte, zu denen er dank seiner Begabung so leichten Zugang hatte, so oft dem Geist des Christentums zuwider?

Der Konflikt zeigt sich im Werk des Kirchenvaters auch in Kleinigkeiten, etwa daran, daß er die christlichen Schriftsteller betont den heidnischen gegenüberstellt mit der Zugehörigkeitsformel "nostri"[28], oder einem abweisenden "Tullius tuus"[29] in einem Brief an den (christlichen!) Römer Pammachius bzw. "tuus Vergilius" (ep. 124,1), auch an einen Christen gerichtet. Zweifellos aber gipfelt die Auseinandersetzung in Hieronymus' eigenem Inneren[30] in dem physisch wie psychisch schmerzhaften Traumerlebnis[31] aus der Zeit des antiochenischen Wüstenaufenthalts.

Dieses Traumerlebnis, so sehr Ausdruck des Konflikts, daß es selbst dann wahr wäre, wenn Hieronymus es erfunden hätte[32], durchleidet er in einer Zeit, als er längst die Taufe empfangen, ja sogar den Entschluß zum Mönchtum gefaßt hat und entschlossen und dabei ist, dieses auch in seiner vollendetsten Form, einem weltabgeschiedenen Eremitenleben, auszuführen Während aber dieses sein "Ciceronianus-Christianus"-Erlebnis[33] berühmt geworden ist, sucht man bei ihm vergeblich nach einer Schilderung des eigentlichen Wendepunktes, der conversio, anders als bei Augustin, der uns in seinen Konfessionen mit der tolle-lege-Szene in bewegender Weise den Augenblick seiner Umkehr stilisiert hat.

c) Einfluß der christlichen Kirche

Dies kann nur einen Grund haben: Bei Hieronymus gibt es kein Bekehrungserlebnis. Es konnte keines geben. Er, der von Kindheit an im Glauben unterwiesen worden war, der also als Katechumene nach Rom gekommen war, hat sich trotz heidnischer Bildung und aller Verfehlungen[34], auch dort immer dem Christentum zugehörig gefühlt. Geradlinig verläuft sein Leben von der katholischen Kindheit bis zur Taufe, die für ihn im Gegensatz zu Augustin wohl nie ein Problem war, und schließlich zum Mönchtum, das damals in Kreisen ernsthafter Christen für die vollkommene Praxis des Christentums gehalten wurde. Da Hieronymus diesen Entschluß nur in einem kurzen Nebensatz charakterisiert[35], muß er allmählich in ihm gereift sein und sich dann undramatisch vollzogen haben.

Daß es sich tatsächlich so verhält, daß das christliche Element in ihm niemals unterging, auch nicht unter dem Einfluß der

heidnischen Schulung, wird durch manche Äußerung in seinen
Schriften klar.

Z.B. schildert Hieronymus (in Hab. 3,14 p.645), wie ein Mitschüler, als Julian, der Restaurator des Heidentums, plötzlich
starb, spottete: "eleganter unus de ethnicis: quomodo, inquit,
Christiani dicunt Deum suum esse patientem?" Die kleine Szene
hätte Farbigkeit und Ausdruck und letztlich auch ihren Sinn
verloren, wenn man annähme, daß Hieronymus sich damals – er war
noch Grammatikschüler – nicht zu den Christen gerechnet hätte.
Auch die Sitte der sonntäglichen Besuche der Märtyrergräber[36]
spricht für seine grundsätzlich christliche Haltung. Er erzählt uns davon in seinem zwischen 41o und 415 geschriebenen
Ezechielkommentar (9,5-13 p. 556/557); trotz seines hohen Alters
ist bei Hieronymus die Erinnerung daran noch lebendig:

> "dum essem Romae puer et liberalibus studiis
> erudirer, solebam cum ceteris eiusdem aetatis
> et propositi, diebus Dominicis sepulcra aposto-
> lorum et martyrum circumire, crebroque cryptas
> ingredi quae, in terrarum profunda defossae,
> ex utraque parte ingredientium per parietes
> habent corpora sepultorum, et quia obscura
> sunt omnia, ut propemodum illud propheticum
> compleatur: 'descendant ad infernum viventes',
> et raro desuper lumen admissum, horrorem
> temperet tenebrarum, ut non tam fenestram quam
> foramen dimissi luminis putes, rursumque pede-
> temptim inceditur et caeca nocte circumdatis
> illud Vergilianum proponitur: 'horror ubique
> animo simul, ipsa silentia terrent.' "

In seinem Galaterkommentar bezeugt Hieronymus mit patriotischem
Stolz den Glauben der römischen Kirche, den er sicher nicht
erst bei seinem späteren Aufenthalt erfahren hat[37]:

> "Romanae plebis laudatur fides. ubi alibi tanto
> studio et frequentia ad ecclesias et ad
> martyrum sepulcra concurritur? ubi sic ad simi-
> litudinem coelestis tonitrui 'Amen' reboat, et
> vacua idolorum templa quatiuntur. non quod aliam
> habeant Romani fidem, nisi hanc quam omnes
> Christi ecclesiae, sed quod devotio in eis
> maior sit et simplicitas ad credendum" (in Gal.
> lib.2 praef.p. 381A).

Das wichtigste Zeugnis aber in diesem Zusammenhang – und hier
wird klar, was Hieronymus die römische Kirche bedeutete –

sind die beiden Briefe an Damasus[38], dessen erster, wichtigerer
(der zweite ist nur eine Reprise) auch als relativ früher Beleg
für den Primatgedanken gelten kann[39]. Um die Aussagen, die auch
dann noch gewichtig genug sind, wenn man vom rhetorischen Über-
schwang absieht, richtig würdigen zu können, müßte man sie
eigentlich im ganzen betrachten. Ich begnüge mich aber hier
damit, die Kernstellen zu nennen.

Anläßlich des meletianischen Schismas[40], in dem Hieronymus
bei seinem Wüstenaufenthalt um Stellungnahme gedrängt wird,
wendet er sich an den römischen Bischof Damasus, da er nicht
weiß, welcher Partei er sich anschließen soll bzw. welche der
benutzten Bekenntnisformeln den wahren Glauben ausdrücken[41].
Da Hieronymus Damasus nicht persönlich kennt, muß er sich
zunächst vorstellen[42] (ep.15,1):

> "mihi cathedram Petri et fidem apostolico
> ore laudatam censui consulendam inde nunc
> meae animae postulans cibum, unde olim
> Christi vestimenta suscepi."[43]

Er hält es also für richtig, sich in Glaubensfragen an Rom
zu wenden, wo er auch getauft wurde, wo er demnach auch religiöse Unterweisung erhalten hat, das ihm also in dieser Hinsicht vertraut ist. Ferner ist ihm bereits ein Begriff, daß
Paulus den Glauben der Römer besonders gelobt hat[44]; es ist
durchaus denkbar, daß die Kenntnis dieser Apostelworte in der
römischen Gemeinde - der Römerstolz geht auch den Christen
nicht ab - bereits im christlichen Rom das Bewußtsein eines
besonderen kirchlichen Rangs herausgebildet hatte; die Hervorhebung des römischen Bischofssitzes als "cathedra Petri"[45] war
Ausdruck christlichen Stolzes und vor allem einer zwar erst
beginnenden Tradition, die aber geschichtswirksam für Jahrhunderte sein sollte[46].

Dies alles kann an dem jungen Hieronymus nicht spurlos vorüber-
gegangen sein. Berücksichtigt man dies, so ist der Brief an
Damasus weder erstaunlich[47] noch unmotiviert, sondern im
Gegenteil folgerichtig. Es ist für Hieronymus dann völlig
natürlich zu behaupten: "apud vos solos incorrupta patrum
servatur hereditas" (ep.15,1). Denn einer muß ja angesichts

der kontroversen Glaubensrichtungen definitiv Auskunft geben
können - wer sollte dies für den in Rom erzogenen Hieronymus
anders sein als der Bischof von Rom! "successor piscatoris"
ist Damasus, und "super illam petram aedificatam ecclesiam
scio". So sehr anerkennt Hieronymus die Autorität des
Bischofs von Rom, daß er bereit ist, die ihm verdächtige
Formel von den drei Hypostasen zu gebrauchen, wenn sie ihm
von dort befohlen wird (15,4).
Freilich läßt er es sich nicht nehmen, seine eigene Meinung
deutlich zum Ausdruck zu bringen, in Sorge um den römischen
Glauben:

> "absit hoc a Romana fide: sacrilegium tantum
> religiosa populorum corda non hauriant.
> sufficiat nobis dicere unam substantiam,
> tres personas subsistentes perfectas,
> aequales, coaeternas; taceant tres hypostases,
> si placet, et una teneatur" (15,4).

Die Worte im Brief an Damasus bedeuten, daß Hieronymus faktisch ein Papsttum kennt und anerkennt. Freilich hätte man
das Wesen dieser Anerkenntnis völlig falsch verstanden, wollte
man sie nicht aus Hieronymus' Romaufenthalt in seiner Jugend
und der daraus resultierenden Verbundenheit ableiten. Er hat
nie auch nur den Versuch gemacht, diese seine pragmatische
Haltung ideologisch zu untermauern[48].
Hieronymus' Stolz auf Rom hat während seines Aufenthalts dort
zusammen mit ihm gewissermaßen die Taufe erhalten, so daß
neben seinem heidnisch-römischen Patriotismus - dieser ist
nie ganz geschwunden - sich ein christlich-römischer Patriotismus entwickelte. Es mußte ihn, den man im Unterricht mit
Römertum förmlich gefüttert hatte, tief in seinem römischen
und christlichen Herzen berühren, daß beide Apostelfürsten,
die Säulen des Christentums, ausgerechnet nach Rom gekommen
waren. Für Petrus können wir dies an seiner Haltung dem römischen Bischof gegenüber ablesen[49]. Über Paulus äußert er
sich an vielen Stellen seiner Schriften[50]. Ein schöner Beleg
für das Zusammenfließen heidnischer und christlicher Ströme
in Hieronymus' Romvorstellung ist in Eph.6,21-22 (p.588A)
zu finden:

> "grandis enim consolatio erat audire Paulum
> Romae in domina urbium et in arce Romani
> imperii de carcere et de vinculis triumphantem."

Römischer Boden ist vom Blut der Kirchengründer geheiligt:

> "atque inde Romam perveniens in hospitio,
> quod tibi conduxeras, Christum et Iudaeis
> et gentibus praedicasti et sententia tua
> Neronis gladio confirmata est."[51]

Manchmal auch kann man sich eines Lächelns nicht erwehren,
wenn man sieht, in welchen Details sich Hieronymus' christlicher Römerstolz ausdrückt: in Gal. 3,15-18 (p.390A) stellt
er fest, daß Paulus an die Galater nicht ebenso wie an die
Römer schreibt, sondern einfacher:

> "Galatis quoque quos paulo stultos dixerat,
> factus est stultus. non enim ad eos his
> usus est argumentis, quibus ad Romanos,
> sed simplicioribus."

In seinen Commentarioli zu den Psalmen erwähnt er zu Ps.50
und 80 Paulusworte ausdrücklich als an die Römer geschrieben
(p.210.220), doch zwei Zitate aus den Korintherbriefen vermerkt er nur mit "apostolus ait", (p.227, Ps.100) und
"apostolus docet" (p.228, Ps.101). Es läßt sich sicher nicht
stringent beweisen, aber oft hat man den Eindruck, daß Hieronymus das Wort Rom im Zusammenhang mit Paulus häufiger erwähnt als es sachlich notwendig gewesen wäre[52].

Kommen wir darauf zurück, daß Hieronymus sich selbst als Römer
bezeichnet: Er tut dies in einem Schreiben an den Bischof von
Rom, um auszudrücken, wie empörend es ist, von ihm, "a homine
Romano", eine andere Bekenntnisformel zu fordern als er gelernt
hat. Gibt es einen besseren Beweis dafür, wie sehr Hieronymus'
Römertum christlich ist? Wenn Römer, dann christlicher Römer
und darum römischer Christ[53]!

Sehen wir nun die vorliegenden Ergebnisse, wird klar, daß wir
unseren Ansatz revidieren müssen: Wir müssen das Problem nicht
von Hieronymus, dem Römer, sondern von Hieronymus, dem
Christen ("christianus sum de parentibus christianis"[54]) her
angehen. Als Christ ist Hieronymus nach Rom gekommen. Daß er
dort einem lasziven, vom Sittenverfall geprägten Leben preis-

gegeben war, war nicht sein eigentliches Problem: Über diese
Phase ist er durch Hinwendung zum Asketentum schließlich dauerhaft (und in bewundernswerter Weise[55]) hinweggekommen.

d) Rom als Idol, nicht Rom als Idee

Seine Tragik, mit der er ein ganzes Leben zubringen mußte,
wurde hervorgerufen durch die klassische Bildung, die er in
Rom erhielt, durch die Ausstrahlung, die diese immer noch auch
heidnische Stadt für ihn hatte: Weil er spürte, daß ein Wert
in den Traditionen lag, weil er als emotionaler und zugleich
in seinen Gefühlen tief veranlagter Mensch sich dem Stolz auf
Rom, dem Patriotismus, der mit den Bildungsgütern in ihm
grundgelegt wurde, nicht versagen konnte, weil er loyal war
gegenüber diesem seinem Rom wie er es zu seinen Freunden war,
und weil er trotz allem von ganzem Herzen Christ sein wollte,
ist ihm Rom ein christliches und ein heidnisches, sein Erbe
zu bejahen und abzulehnen, eine ambivalente Größe.
Zweifellos hat aber nun in der Antithese Romanus-Christianus
letzterer das Übergewicht, und so soll auch Rom nach dem
Willen des Hieronymus ein christliches sein, geboren aus den
Idealen der Alten, wiedergeboren im neuen Glauben und darum
auch für den Christen eine irdische Heimat:

> "sed ad te loquar, quae scriptam in fronte
> blasphemiam, Christi confessione delesti.
> urbs potens, urbs orbis domina, urbs apostoli
> voce laudata interpretare vocabulum tuum.
> Roma aut fortitudinis nomen est apud Graeos,
> aut sublimitatis iuxta Hebraeos. serva, quod
> diceris, virtus te excelsam faciat, non
> voluptas humilem. maledictionem quam tibi
> Salvator in Apocalypsi comminatus est, potes
> effugere per poenitentiam, habens exemplum
> Ninivitarum. cave Ioviniani nomen, quod de
> idolo derivatum est. squalet Capitolium,
> templa Iovis et caeremoniae conciderunt.
> cur vocabulum eius et vitia apud te vigeant?
> adhuc sub regibus et sub Numa Pompilio
> facilius maiores tui Pythagorae continentiam
> quam sub consulibus Epicuri luxuriam sus-
> ceperunt."[56]

Also doch christlicher Patriotismus im Sinn eines Prudentius,
der die Roma-aeterna-Idee christianisiert hat, der eine

vollkommene Synthese von christlichem und römischem Patriotismus gewissermaßen erdichtete?[57]

Zur richtigen Beurteilung verweist uns die Stelle, an der diese
Worte stehen: Es ist der Schluß einer sogenannten Streitschrift, abgefaßt auf Bitten römischer Freunde gegen einen Häretiker, und, was für Hieronymus schwerer wiegt, einen Gegner
des asketischen Ideals[58]. Denn er selbst ist leidenschaftlicher
Verfechter des Mönchtums. Kein Wunder, daß ihn die Emotionen
zu erhabenen Worten tragen[59], seine Ausführungen sich zu unge-
wohnter Prägnanz steigern: Alles, was er über Rom und den
"Juppiterschützling" zu sagen weiß, drängt er in wenige Zeilen
zusammen: Rom hat das Anstößige des Heidentums, die Schrift,
die es als Blasphemie auf der Stirn trug[60], durch die Annahme
des christlichen Glaubens getilgt; mächtig ist diese Stadt
und Herrin des Erdkreises (diese "heidnische" Terminologie
und Dimension kann jetzt akzeptiert werden, weil Rom christlich
geworden ist) und überdies auch vom christlichen Standpunkt
von Rang, denn Paulus hat seinen Glauben gelobt. Rom, das
bedeutet Stärke oder Erhabenheit[61], also soll es sich auch
nach dem Wert richten, der inhaltlich beides umschließt: virtus;
es soll sich nicht der voluptas ergeben. Hier liegt offensichtlich ein Wortspiel vor, aber damit verläßt Hieronymus die allgemeinen Ausführungen und zeigt, wozu das Ganze gesagt ist:
voluptas nämlich kennzeichnet nach seiner Meinung die Lehre
Jovinians. Und wieder greift Hieronymus die obige Anspielung
auf die Johannesapokalypse auf: Rom ist bedroht durch den Untergang (man sieht die Inkonsequenz: eben wurde Rom noch als
christlich gedeutet), aber wie Ninive kann es durch Reue diesem
Richterspruch entgehen. Die Reue aber besteht darin - wieder
wird Hieronymus konkret -, daß Rom sich gegen Jovinian stellt,
dessen Name von einem Götzen, Jupiter, stammt. Warum soll denn
in Rom, dessen Jupitertempel und Jupiterdienst darniederliegen,
Name und Laster dieses Götzen weiterleben? Der letzte Satz der
Anrede an Rom zeigt vollends die ganze Inkonzinnität des Gedankens: Um der continentia willen, die es jetzt gegen Jovinians
luxuria zu behalten gilt, fügt Hieronymus wie ein Anhängsel

noch einmal einen ganz neuen Gesichtspunkt an, der den
wenigstens bis jetzt einigermaßen einheitlichen Gedanken der
Christlichkeit Roms wieder aufhebt.

Der konkrete Anlaß also läßt ihn die auf den ersten Blick so
grundlegenden Aussagen machen. Nimmt man die Tatsache hinzu,
daß Hieronymus nur hier[62] Worte gebraucht, die eine Romideo-
logie vermuten lassen, muß man zu dem Schluß kommen, daß in
der Tat Hieronymus eine solche nicht vertreten hat.

Wie bereits oben[63] angedeutet, ist Hieronymus durch und durch
Pragmatiker. Was er sagt, ergibt sich aus Konkretem, und sei
es nur konkret in seinen Gedanken: Er abstrahiert nicht, projiziert nicht und synthetisiert nicht. Rom ist wichtig in
seinem Leben und für sein Leben, es kann ihm Idol sein, aber
niemals ist es ihm Idee.

2. Der Mönch und Rom

a) Versuch eines Eremitenlebens

Die Reise, die Hieronymus mit seinem Freund Bonosus von Rom
aus an den Rhein unternahm und in deren Verlauf er das Gelübde
zum Mönchsleben ablegte, fand zweifelsohne von vornherein unter
christlichen Vorzeichen statt. Es bedurfte offensichtlich nur
noch eines letzten Anstoßes, um die "conversio" endgültig zu
machen. Hieronymus hatte sich also von Rom, vom Großstadtge-
triebe, abgewandt, um ernstzumachen mit seinem Christentum, als
Mönch in der Einsamkeit zu leben und sich ganz Christus zu
weihen[64].

Bis dieser Entschluß freilich in die Tat umgesetzt wurde, ver-
ging einige Zeit. Während Bonosus, der Gefährte und Zeuge der
"Bekehrungsreise", nun Hieronymus sogar zuvorgekommen war und
einsam auf einer unwirtlichen Insel lebte, zauderte Hieronymus
noch und klagte sich deswegen selbst an[65].

Rom und seinen Nachwirkungen, vor allem seinen geistigen, kann
sich der "designierte" Eremit nicht so schnell entziehen: Immer
noch bieten dem verwöhnten Geschmack Cicero und Plautus mehr
als die in Stil und Bedeutung fremdartigen bis abstoßenden

Propheten[66].
Hieronymus mag auch geahnt haben, daß er für ein Leben in Ab-
geschiedenheit und Einsamkeit nicht geschaffen war: Nachdem er
sich dann tatsächlich als Einsiedler in der Wüste Chalkis
niedergelassen hatte, leidet er am meisten unter dem Mangel
an Kontakten mit Gleichgesinnten, mit Leuten seines Niveaus,
an der Abwesenheit seiner vertrauten Freunde: Die Worte, mit
denen er nach Briefen förmlich schreit, zeugen von tiefer
Verzweiflung[67]. Nicht "seine Eitelkeit, seine Unzuverlässig-
keit, seine scharfe Zunge" (GRÜTZMACHER I 174) lassen ihn
schließlich am Eremitenleben scheitern. Ein durch und durch
sozialer, zum Zusammenleben mit anderen Menschen angelegter
Charakter wie Hieronymus konnte ein solches Leben auf die
Dauer nicht durchhalten. Die Jugendzeit in Rom wird ein
übriges getan haben: Wer dem Zauber und der Faszination einer
solchen Stadt einmal erlegen war, kann auch mit den besten
Absichten in einer Wüstenei nicht glücklich werden[68].

b) Rückkehr nach Rom: Aufstieg und Fall
So ist Hieronymus auf dem Umweg über die Großstädte Antiochia
und Konstantinopel wieder nach Rom gekommen, rund zehn Jahre
nach seinem ersten Aufenthalt. Diesmal kommt er als erwachse-
ner Mann, sturmerprobt sozusagen, gereift in den seelischen
Kämpfen seines Einsiedlerdaseins, und endlich auch im christlichen Sinn gebildet[69]. Diesmal hat e r Rom etwas zu geben.
Der eigentliche Anlaß der Rückkehr ist unbekannt. Für GRÜTZ-
MACHER scheint es eine Tatsache zu sein, daß Hieronymus von
Bischof Damasus nach Rom berufen wurde. KELLY[70] bietet (wohl
im Gefolge von CAVALLERA I 75) die ansprechende Erklärung,
daß Hieronymus von den Bischöfen Paulinus von Antiochien und
Epiphanius von Salamis als Dolmetscher und Berater nach Rom
mitgenommen wurde. Ähnlich äußert sich auch CAMPENHAUSEN,
Kirchenväter 123/124; nur begründet er die Reise mit Hieronymus' eigenem Entschluß.
Hieronymus selbst drückt sich sehr unklar aus und will jedenfalls zu verstehen geben, daß er sich nur der Notwendigkeit
gebeugt habe (ep.127,7):

>"cum et me Romam cum sanctis pontificibus
>Paulino et Epiphanio ecclesiastica traxisset
>necessitas".

Unter "ecclesiastica necessitas" ist das von Gratian einberu-
fene Konzil von 382 verstanden worden[71]. Die Behauptung des
Hieronymus aber, er habe sich hier nur äußeren Umständen
gefügt, kann man getrost skeptisch betrachten: Hieronymus
hat Anlaß zu vertuschen, daß er auch auf eigenen Wunsch nach
Rom gereist ist; davon soll später noch die Rede sein. Man
geht sicher nicht fehl, wenn man annimmt, daß Hieronymus, der
mit seinem Wüstenleben ja zunächst gescheitert war, mit Freuden
die Gelegenheit zur Rückkehr nach Rom ergriffen hat. In Konstantinopel hat er wohl begonnen zu ahnen, was seine Lebensaufgabe werden konnte. Nun aber sollte Rom der Ort werden, an dem
man ihn brauchte.

Man hat aus Hieronymus' eigenen Äußerungen auf seine Stellung
und seine Betätigung in Rom geschlossen. Analysiert man die
betreffenden Angaben, ergeben sich drei Tätigkeitskreise, die
sich überschneiden: Da ist einmal die Arbeit für den römischen
Bischofsstuhl, ferner seine Arbeit an der Bibel, oft auf Anregung des Damasus, und schließlich die völlig aus eigenem Antrieb
und mit Leidenschaft geführte, man muß fast sagen Kampagne für
das asketische Leben. Rom und seine Christengemeinde ist ihm
ein einziges Betätigungsfeld, eine große Aufgabe, der er sich
mit Elan unterzieht.

Damasus[72], dem Hieronymus jetzt wohl schon mehr bedeutete als
zur Zeit der beiden Anfragen aus der Wüste, die wahrscheinlich
nie beantwortet wurden[73], versicherte sich der Hilfe des kennt-
nisreichen und nun in beiden Welten erfahrenen Mannes bereits
für das Konzil[74], und auch später noch konnte Hieronymus sich
dem Bischof in seinen vielfältigen Verwaltungsaufgaben nütz-
lich machen, hauptsächlich wohl in der Korrespondenz mit dem
griechischen Osten:

>"ante annos plurimos, cum in chartis eccle-
>siasticis iuvarem Damasum, Romanae urbis epi-
>scopum, et orientis atque occidentis synodicis
>responderem..." (ep.123,9)[75]

und war eine Art Sprecher des hohen Würdenträgers: beatae
memoriae Damasi os meus sermo erat" (ep.45,3). Zweifellos erwarb sich Hieronymus als Vertrauter und Günstling des Damasus
bald hohes Ansehen in Rom; die diesbezüglichen Worte in ep.45
geben sicher nicht nur ein Wunschbild des Hieronymus wieder.
Doch kann man sicher sein, daß ein großer Teil solcher und
ähnlicher Äußerungen des römischen Publikums auf leerer
Schmeichelei beruht, so daß sich letztlich wohl nie entschei-
den läßt, ob es tatsächlich ernsthafte Bestrebungen gab,
Hieronymus zum Nachfolger des Damasus zu machen:

> "totius in me urbis studia consonabant.
> omnium paene iudicio dignus summo sacerdotio
> decernebar... dicebar sanctus, dicebar
> humilis et disertus" (ep.45,3).

Ansehen erwarb er sich aber sicher auch durch seine sprachlichen und exegetischen Kenntnisse; in ersteren war er wohl
allen[76], in letzteren vielen Zeitgenossen überlegen. Die Kombi-
nation beider Wissenszweige machte ihn zur einzigartigen Autorität.

Zwar verfaßt er unter Damasus auch dogmatische Schriften, eine
gegen Helvidius über die immerwährende Jungfrauschaft Mariens,
ein Thema, das ihm sicher am Herzen lag, denn er erwähnt später
noch zweimal diese Ausführungen[77], und vielleicht auch schon
die Altercatio Luciferiani et Orthodoxi (freilich ohne viel
Engagement für die Sache, um die es geht[78]), aber Damasus hat
die eigentliche Stärke dieses Gelehrten mit bemerkenswertem
Weitblick erkannt: Er beschränkt sich nicht darauf, Hieronymus
zu exegetischen Fragen zu konsultieren[79], sondern gibt ihm eine
Aufgabe, die in der damaligen Zeit kein anderer als er aus-
führen konnte: die Wiederherstellung des mittlerweile recht
verwilderten und verderbten lateinischen Bibeltextes, zunächst
als Revision des Neuen Testaments und des Psalters nach griechischen Handschriften und schließlich - dies war ausschlag-
gebend - als Neuübersetzung des Alten Testaments aus dem Hebräischen, wofür er freilich in Rom nur Vorarbeiten leisten
konnte[80].

Daneben macht es sich Hieronymus zur Aufgabe, dem Westen

Origenes zu vermitteln, dessen Genie Hieronymus tief beeindruckt
hat[81]. Auch die Übersetzung eines Kommentars von einem weiteren
orientalischen Exegeten, Didymus, über den Heiligen Geist, beginnt er in Rom.

Als kirchenpolitisch wichtiger Mann und bedeutender Bibelge-
lehrter fand Hieronymus auch bald Eingang in die Kreise adliger
asketisch lebender Frauen Roms. Die ersten Kontakte scheint
Marcella geknüpft zu haben, Nachfahrin vieler Konsuln, eine
gebildete, hochintelligente, eigenwillige und geistig unabhängi-
ge, im besten Sinn emanzipierte Frau[82]:

> "ita egit (scil. Marcella) secundum apostolum
> importune opportune, ut pudorem meum sua
> superaret industria. et quia alicuius tunc
> nominis aestimabar super studio scripturarum,
> numquam convenit, quin de scripturis aliquid
> interrogaret nec statim adquiesceret, sed
> moveret e contrario quaestiones, non ut
> contenderet, sed ut quaerendo disceret" (ep.127,7).

Noch enger als mit Marcella[83] befreundete er sich mit der vornehmen Witwe Paula und ihrer Familie[84]. Während Marcella und
Paula schon vor Hieronymus' Eintreffen in Rom Nonnen geworden
waren, tat Paulas Tochter Eustochium diesen Schritt erst in
Anwesenheit und sicher auch unter Einfluß des Hieronymus, der
stets bemüht war, der asketischen Bewegung neue Anhänger zu-
zuführen. Dies gelang ihm auch im Fall der anfangs so weltlich
gesinnten Blaesilla, einer anderen Tochter der Paula, doch nur
wenige Monate nach ihrer Bekehrung starb sie plötzlich, und
dies brachte nach Hieronymus' eigenem Bekunden Unheil über ihn,
so daß er Rom schließlich wieder verlassen mußte:

> " a n t e q u a m[85] domum sanctae Paulae
> nossem totius in me urbis studia consona-
> bant" (ep.45,3).

Hieronymus, der in der römischen Kirche sehr schnell eine
glänzende Karriere gemacht hatte, hatte zweifellos auch seine
Aufgabe darin gesehen, die asketische Bewegung zu stützen, sie
voranzubringen, vielleicht sogar geistiger und geistlicher
Führer einer vom Bibelstudium geprägten asketischen Erneuerungs-
bewegung zu sein. Daß dies nicht ohne weiteres gelingen konnte,
liegt auf der Hand: Nicht nur war die Stadt noch halb heidnisch,

sondern auch innerhalb des Christentums gab es die verschie-
densten Richtungen und Bewegungen, die nicht unbedingt immer
häretisch waren. Als daher Damasus, Hieronymus' und der asketischen Kreise Förderer, starb, und mit seinem Nachfolger[86]
anders gesinnte liberalere Kleriker zu Amt und Würden gelangten,
bedurfte es nur eines auslösenden Momentes, um die ganze Mönchs-
bewegung einschließlich ihres Exponenten Hieronymus dem allgemeinen Zorn auszusetzen, zumal dieser in der Vergangenheit auch
immer sehr verschwenderisch mit seiner Kritik gewesen war[87].
Dieses Moment war mit dem Tod der Blaesilla gegeben, und nun
vereinigte sich der christliche und der heidnische Chor der
Kritiker und Feinde des Hieronymus in erbitterten Schmähreden
gegen den Hauptverfechter der Askese und seine Anhänger. Hieronymus entschloß sich nicht lange danach, Rom zu verlassen, diesmal für immer.

c) das doppelte Scheitern

In seiner Enttäuschung findet Hieronymus böse Worte für Rom:
Babylon wird es ihm, die purpurtragende Dirne der Johannesapokalypse[88], Babylon, das gefallen ist und aus dem man fliehen muß[89]
nach Jerusalem[90].
Die drei Schriften, in denen Hieronymus solche Töne anschlägt,
stammen aus der Zeit der Abreise bzw. der ersten Zeit des Aufenthalts in Bethlehem[91]. Später taucht der Name Babylon nur noch
selten auf, und eine Gleichsetzung mit Rom ist fraglich[92].
Schon allein aus dieser Chronologie ergibt sich, daß die harten
Worte gegen Rom nur aus Hieronymus' Mißerfolg dort resultieren
und nicht etwa bedeuten, daß sich der Gelehrte jetzt die exegetischen Traditionen der frühchristlichen Romfeindlichkeit zu
eigen gemacht hätte oder gar dauernd romfeindlich gesinnt gewesen sei[93].
Aber sehen wir uns die betreffenden Stellen einmal genau an,
die einzigen, wie gesagt, an denen Hieronymus ausdrücklich Rom
mit Babylon vergleicht. Zunächst das Vorwort zur Didymusüber-
setzung:

> "cum in Babylone versarer et purpuratae
> meretricis essem colonus, et iure Quiritium

viverem...".

Seltsam, daß in diesen Worten immer nur die Anspielungen auf
die apokalyptischen Traditionen gesehen worden sind, die Anspielungen aber, die Hieronymus auf sich selbst macht, immer konsequent übersehen worden sind. Gewiß wird Rom beschimpft, aber
der Schmähende klagt sich doch auch selbst an! Oder wie sonst
soll man es verstehen, daß er sich einen "Verehrer"[94] der Dirne
in Purpur nennt, einen, der nach dem Recht der Quiriten gelebt
hat. Hieronymus selbst hat sich zur Dirne begeben, hat sich den
Gesetzen des (heidnisch-) römischen Staates, der Welt also,
unterworfen[95].

Erinnern wir uns der Umstände, unter denen Hieronymus nach Rom
gekommen ist: Anläßlich eines Konzils reist er mit zwei Bischöfen dorthin. "ecclesiastica necessitas" hätte ihn veranlaßt,
schreibt Hieronymus ebenso ungenau wie verschämt später an
Principia[96]. Doch einst hatte er Rom verlassen, sich dem
Mönchsleben geweiht, hatte, in einer Art Kompromiß, in einem
asketischen Kreis Gleichgesinnter gelebt und sich am Ende doch
entschlossen, als Eremit in die Wüste zu gehen. Doch sein mit
so großem Ernst angegangenes Unternehmen scheiterte schließlich.
Hieronymus aber verdrängte den Mißerfolg, fand neue Anregungen,
neue Aufgaben, lernte, die hoch gelobten Klassiker hintanzu-
setzen zugunsten der Heiligen Schrift, die er nun besser verstand und zu würdigen wußte[97]. Wir kommen hier auf den alten
Konflikt zurück: Ein Einsiedler hat Hieronymus nicht werden
können, das lief seiner Natur so völlig zuwider, daß er diesbe-
züglich seine alten Ideale aufgeben mußte. Doch ein Christianus
hat er werden können, dem Studium der Schriften hingegeben; dies
sollte jetzt seine Lebensaufgabe sein. Warum sollte er dieser
Aufgabe nicht auch im Weltgetriebe der Stadt Rom nachgehen
können?

Jetzt aber, nach dem abermaligen Scheitern, wird ihm auch sein
Versagen von einst bewußt, muß er schmerzlich erkennen, daß ihn
der Prunk Babylons gelockt, die Dirne in Purpur ihn verführt
hat. Doppelt ist Hieronymus gefallen, oder anders ausgedrückt,
der eigentliche Fall war nicht das abrupte Ende seiner Karriere

und der Weggang aus Rom, sondern im Gegenteil bereits seine
Rückkehr nach Rom.

Daß im Babylonvergleich[98] keine Spur von Ideologie im Sinn der
romfeindlichen Apokalyptik steckt, zeigt auch der andere bereits genannte Text von ep.45:

> "gratias ago deo meo, quod dignus sum, quem
> mundus oderit. ora autem, ut de Babylone Hiero-
> solyma regrediar nec mihi dominetur Nabucho-
> donosor, sed Iesus, filius Iosedech. veniat
> Hesdras, qui interpretatur 'adiutor' et redu-
> cat me in patriam meam. stultus ego, qui
> volebam cantare canticum domini in terra aliena
> et deserto monte Sion Aegypti auxilium
> flagitabam. non recordabor evangelii, quod
> qui Hierusalem egreditur, statim incidit in
> latrones, spoliatur, vulneratur, occiditur."

Die richtige Deutung der Bildersprache im Vorwort zur Didymus-
übersetzung kann einem vielleicht entgehen. Hier aber ist trotz
der biblisch-bildlichen Ausdrucksweise der Sinn klar:
Hieronymus beklagt sich im Augenblick der Abreise aus Rom über
sein eigenes Fehlverhalten, daß er nämlich mitten in der Welt
zu leben versucht hat, obwohl er sich doch für ein Mönchsleben
abseits vom Getriebe bestimmt glaubte. Er nennt Rom Babylon,
aber es ist nicht das Babylon der Apokalypse gemeint, sondern
das Babylon als Ort des jüdischen Exils - der Name Nabuchodonosor weist darauf hin - das manche der Juden so betört hat,
daß sie nicht mehr nach ihrer wahren Heimat Jerusalem zurück-
kehren wollen[99]. Auch baut Hieronymus das Babylonbild hier gar
nicht aus, sondern gebraucht neue Vergleiche: Er ist wie das
Volk Israel auf dem Berge Sion, dem Gott Hilfe versprochen hat,
das aber die Hilfe der Aegypter sucht[100], wie der Mann in Jesu
Gleichnis, der von Jerusalem nach Jericho ging und unter die
Räuber fiel[101]. Rom/Babylon, das ist die Welt mit ihren Ver-
lockungen ("dignus sum, quem m u n d u s[102] oderit"), Jerusalem
aber ist kein Ort, sondern ein Zustand, das weltabgeschiedene
Leben des Mönchs, wie auch der Gebrauch von "regrediar" zeigt;
Hieronymus hat noch nie im realen Jerusalem gelebt, wohl aber
als Mönch[103].

Einen etwas anderen Charakter als diese Abschiedsworte und auch

noch das später geschriebene erste Beispiel haben die Ausführungen an unserer dritten Stelle zum Thema:

> "lege Apocalypsin Iohannis et quid de
> muliere purpurata et scripta in eius fronte
> blasphemia, septem montibus, aquis multis et
> Babylonis cantetur exitu, contuere. 'exite',
> inquit dominus, 'de illa, populus meus, et ne
> participes sitis delictorum eius et de plagis
> eius non accipiatis'. ad Hieremiam quoque
> regrediens scriptum pariter adtente: 'fugite
> de medio Babylonis et resalvate unusquisque
> animam suam. cecidit' enim, 'cecidit Babylon
> illa magna et facta est habitatio daemoniorum
> et custodia omnis spiritus immundi' " (ep.46,12).

Keine Untergangstheologie zeigt sich, sondern Babylon ist
bereits gefallen, d.i. sündig und unrein, eine Heimstatt von
Dämonen. Hieronymus bezieht sich hier nicht auf seinen eigenen
Romaufenthalt, sondern er will, angeblich durch Paula und
Eustochium, die als Absender des Schreibens angegeben sind, die
gemeinsame Freundin Marcella auffordern, von Babylon, d.h. von
Rom wegzugehen und nach Bethlehem zu kommen. Die Diktion ist
vergleichbar den reuevollen Worten des Hieronymus, die oben
vorgelegt sind. Doch die ganz andere Akzentuierung wird aus dem
unmittelbar folgenden Text deutlich:

> "est quidem ibi sancta ecclesia, sunt tropea
> apostolorum et martyrum, est Christi vera con-
> fessio et ab apostolis praedicata fides et
> gentilitate calcata in sublime se cotidie
> erigens vocabulum christianum"-

Hieronymus steht zu Rom wie in früheren Zeiten, zum christlichen wenigstens, aber das Heidentum scheint ihm ja ohnehin im
Niedergang begriffen -

> "sed ipsa ambitio, potentia, magnitudo urbis,.
> videri et videre, salutari et salutare, lau-
> dare et detrahere, audire vel proloqui et
> tantam frequentiam hominum saltim invitum a
> proposito monachorum et quiete aliena sunt."[104]

Es ist ganz offensichtlich: Hier ist nicht politische Theologie
betrieben, das sündige Rom dargestellt als Symbol des Anti-
christlichen, das vernichtet werden soll, sondern ganz schlicht
und realistisch gesehen, daß im Getriebe einer Großstadt wie
Rom, unter so vielen Menschen, von denen auch die Christen

nicht immer vorbildlich leben, es schwer ist, ein asketisches,
ganz den christlichen Idealen untergeordnetes Leben zu führen.
Ein Ort wie Bethlehem, meint Hieronymus, sei dazu besser geeig-
net. Dies freilich hat Hieronymus durchgehend als seine Meinung
vertreten (gegen die er selbst gehandelt hat): Daß Rom nicht
gerade der geeignete Aufenthaltsort ist für jemanden, der mit
dem wahren, dem asketischen Christentum ernst machen will. Seine
eigene Erfahrung hat ihn dies gelehrt. Daß dies mit Apokalyptik
nichts zu tun hat, haben wir bereits gesehen, und es gibt noch
weitere Argumente dafür. Betrachten wir einmal ep.43, einen
Brief, den Hieronymus noch in Rom geschrieben hat, vielleicht
schon zu einer Zeit, als er von allen Seiten angegriffen war.
Jedenfalls aber drückt sich darin eine Rommüdigkeit aus, die
eine Großstadtmüdigkeit[105] ist. Aufs Land werde er gehen, sagt
Hieronymus; er spricht von ländlichen Wonnen und unschuldigen
Speisen. Weiter heißt es:

> "habeat sibi Roma suos tumultus, harena saeviat,
> circus insaniat, theatra luxurient et, quia de
> nostris dicendum est, matronarum cotidie visi-
> tetur senatus: nobis adhaerere deo bonum est,
> proponere in domino spem nostram."

Da haben wir die ganze Philosophie des Hieronymus: Er hat eingesehen, daß er in der Stadt seiner ursprünglichen Bestimmung
nicht treu bleiben kann![106]

d) Roma mundana - Roma christiana

Es ist mit dieser Haltung nicht einmal speziell Rom abgelehnt,
sondern die Stadt als solche. So schreibt Hieronymus bereits
bei seinem ersten Orientaufenthalt an Heliodor, der in seine
Heimatstadt zurückgekehrt ist, obwohl auch er ursprünglich in
der Einsamkeit als Mönch hatte leben wollen:

> "quid agis, frater, in saeculo, qui maior es
> mundo? quam diu te tectorum umbrae premunt?
> quam diu fumeus harum urbium carcer includit?"

Später, während seines Bethlehemaufenthalts, hat er nicht nur
römische Freundinnen nach Bethlehem eingeladen, sondern auch
Menschen aus anderen Städten ermahnt, doch die Einsamkeit zu
suchen[107].

Rom als Stadt ist also für Hieronymus eine Versuchung, weltlich,

abzulehnen. Rom als Rom, als ein schon beinahe ganz christliches
Rom, liegt ihm weiter am Herzen (vgl.o.S.34). So kann er selbst
seiner Zeit in Rom bald wieder ohne Groll, vielleicht sogar mit
einer gewissen Wehmut, gedenken: "cum Romae essem" ist eine
öfter gebrauchte Formel (in Gal.praef.p.331C; in eccles.praef.
p.249; ähnlich in Gal.1,19 p.354D), oder einfach "Romae"
("libello, quem sanctae Eustochiae Romae scripseram", ep.52,17;
"eam (scil. Paulam) Romae consolatus sum", ep.1o8,4).
Kommen wir noch einmal zurück auf adv.Iovin.2,38, geschrieben
im Jahr 393, also acht Jahre nach dem Verlassen Roms. HAGENDAHL
(157) stellt diese Romauffassung dem Babylongedanken gegenüber
und nennt sie neu. Wir konnten aber jetzt sehen, daß dies nicht
der Fall ist. Art und Weise des Ausdrucks sind vielleicht stark
stilisiert. Der Inhalt des Gesagten aber ist nichts anderes als
die Meinung, die Hieronymus immer vertreten hat und stets weiter vertritt: Rom wuchs aus heidnischen Ursprüngen und ist daher weltlich, doch auch verehrungswürdig ob seiner großen Tradition. Rom ist erst recht und eigentlich verehrungswürdig
wegen der Gräber der Apostel und Blutzeugen, des innigen Glaubens, eben wegen seiner Bekehrung zum Christentum. Und doch
bedeutet Rom auch Weltgetriebe, wie jede Stadt, ist sündig und
verführt zur Sünde und ist so nicht der rechte Ort für den,
der vollkommen sein will. Doppelgesichtig also ist die Weltlich-
keit Roms, doppelgesichtig sind auch seine Vorzüge: Roma mundana - Roma christiana.

3. Der Kompromiß von Bethlehem
a) Vermittler zwischen zwei Welten
Der Versuch, als Einsiedler in der Wüste zu leben, war für
Hieronymus ein Fehlschlag, der Versuch, als Mönch mitten in
der Welt zu leben, war es ebenso. Mit der Ansiedlung in Bethlehem fand Hieronymus nun endlich seinen ganz persönlichen Ausweg
aus dem Dilemma, einen auf ihn zugeschnittenen Kompromiß[1o8]:
Hier lebte er abseits vom Weltgeschehen, aber nicht abseits
von aller Kommunikation. Hier in der Ferne konnte er sich mit
Rom aussöhnen, weil es nicht mehr die besondere Form seines

Christseins störte, hier konnte er auch wieder Roms heidnische
Werte, sofern sie sich "christianisieren" ließen oder zumindest
nicht dem Christentum widersprachen, akzeptieren[109]. Vielleicht
mußte der Umweg über Rom sein, um Hieronymus seine eigentliche
Bestimmung finden zu lassen: Jetzt, da er Abstand hat, wird er
erst wahrhaftig zum Vermittler zwischen zwei Welten; er wird
der Verpflichtung, die er fühlt, gerecht.

Vermittlung sind seine exegetischen Werke. Nicht nur deshalb,
weil Hieronymus als Theologe den Laien den Sinn der biblischen
Schriften deutlich macht, sondern vor allem deswegen, weil er
den Lateinern mit seinen Erklärungen den fremden Kulturkreis,
in dem das Christentum entstanden ist, nahebringt; schließlich
weiß er aus eigener Erfahrung, wie schwer dem römisch geprägten
Denken der Zugang zur Heiligen Schrift werden kann.

Seine erläuternden Anmerkungen betreffen verschiedene Wissens-
sparten[110]. Er versucht sich sogar in naturwissenschaftlichen
Fragen, z.B. in Ioel 3,18 p.207, wo er anmerkt, daß eine bestimmte Wüstenbaumart an kultivierten Orten resp. auf römischem
Boden nicht vorkommt, oder in seinem Buch hebräischer Untersuchungen zur Genesis[111]; hier belegt er mit einem Vergilvers[112],
daß die vielleicht wunderbar erscheinende Fruchtbarkeit der
Herden Labans auch in Italien nichts Außergewöhnliches sei.
Weit zahlreicher sind die historischen Anmerkungen, manchmal
mit Bezug zu seiner Zeit. Oft handelt es sich um Synchronismen,
um den Römern eine zeitliche Einordnung der biblischen Gestalten
zu ermöglichen[113], aber in vielen Fällen hebt Hieronymus Ereignisse hervor, die direkt mit Rom und den Römern zu tun haben.
So macht er beispielsweise eine Anmerkung zu Antiochus in Dan.8,
9b-12 p.854: "cum obses fuisset Romae et nesciente senatu per
dolum cepisset imperium", im Galaterkommentar erläutert er die
Erlasse Caesars, Octavians und Tiberius', die den Juden erlaubt
hatten, nach ihren religiösen Vorschriften zu leben (in Gal. 6,
12 p.464A)[114] und im Matthäusevangelium schließlich hat er
fast überall Gelegenheit, an die besonderen Verhältnisse unter
der römischen Besatzung zu erinnern[115]. In seinem Buch über
hebräische Orte ist Hieronymus geradezu auffallend darum

bemüht, römisches Kolorit hinzuzufügen: Mit Akribie ergänzt er
nämlich jedesmal den Namen der Römer, wo er von Eusebius[116]
außer acht gelassen worden ist[117] und fügt auch sonst "römische"
Ereignisse an: Zur Erklärung der Stadt Jericho (p.951B=Eusebius
p.1o5) vermerkt er beispielsweise die Einnahme Jerusalems
d u r c h d i e R ö m e r und eine Niederlage des Crassus
bei Charran (p.934C=Eusebius p.171). Auch die Stadt Achad
(p.9o6B=Eusebius p.5) hat eine "römische" Vergangenheit: Sie
wurde von Lukullus eingenommen und später von Iovian den Persern übergeben[118]. Erläuterungen zu hebräischen Ortsnamen gibt
es aber auch anderweitig, beispielsweise in Ezech.47,18 p.723
und 724, aber auch sonst in den Kommentaren, vgl. die Testimonien von KLOSTERMANN. Oft erklärt Hieronymus Merkwürdigkeiten
des orientalischen Lebensraums mit Verhältnissen und Einrich-
tungen der römischen Welt, so Ezech.48,18-2o p.736, wo eine
römische Parallele gezogen wird zu einer Vorschrift, bestimmte
Gebäude von Staats wegen zu erhalten, ferner in Is.22,2 p.21o:
An dieser Stelle erinnert Hieronymus an die Einnahme Roms unter
Brennus, als nur noch das Kapitol standhielt, anläßlich eines
Berichts über die Einnahme Jerusalems durch Sennacherib, bei
der nur der Berg Sion frei blieb. Ein weiteres Beispiel haben
wir in Is.3,2 p.45; hier bilden römischer Senat und römische
Konsuln eine Erklärung für ein Isaiaswort. Interessant ist eine
Darlegung in Philem.1 p.64oA-641A: Hieronymus versucht zu deuten, warum der große Heidenapostel, der doch eigentlich Saulus
heißt, sich auch Paulus nennt, und wagt eine offensichtlich
sich nicht auf andere Autoritäten stützende Erklärung ("audacter
itaque faciam..."), daß nämlich Paulus sich nach dem Römer
Sergius Paulus benannt habe, den er gleichsam als erste Beute
der Kirche zugeführt hatte, nach dem Vorbild der Römer, die
sich zum Zeichen des Sieges einen Beinamen schufen aus dem
Namen der besiegten Völker. Auch in Matth.14,11 gibt ein Ereignis aus der römischen Geschichte[119] die Folie ab, vor deren
Hintergrund das biblische Geschehen besser verständlich wird:
Daß Flamininus wegen einer Dirne einmal bei einem Gelage einen
Verbrecher hinrichten ließ, war schon schlimm genug; wieviel

verbrecherischer hat aber Herodes gehandelt, der Johannes den
Täufer umbringen ließ. Nur einmal erklärt umgekehrt ein in der
Bibel berichtetes Geschehen einen Vorfall in der römischen Geschichte:

> "miramur legatum Pyrrhi quondam dixisse de urbe
> Romana: 'vidi civitatem regum'. ecce multo ante
> illa tempora negotiatores et institores Tyri
> principes et incluti describuntur, ut per haec
> ostendatur opulentiae magnitudo."

Sehr häufig gibt es bei Hieronymus natürlich philologische
Anmerkungen[120]. Er stellt römische und hebräische Monatsnamen
gegenüber[121], zeigt zum Vergleich, daß bei den Römern die
Kaiser "Caesares" und "Augusti" genannt werden nach den geschichtlichen Personen dieses Namens[122], und daß auch Barbaren
die Bezeichnung "Caesar" so gebrauchten, parallel zu der Gewohnheit der Hebräer, bis heute die Griechen Iones zu nennen,
nach dem alten Wort Iona, das Taube oder Griechenland bedeuten
könne[123]. Zur Entstehung des Namens der Galater nach gallischen
Einwanderern vermerkt Hieronymus, daß Italien einst Großgriechenland genannt wurde[124], und zu der Tatsache, daß die Hebräer
auch erwachsene Söhne als Kinder bezeichnen, bringt er eine
Parallele aus dem aktuellen Rom:

> "nec miremur barbaram linguam habere pro
> prietates suas cum hodie Romae omnes filii
> vocantur infantes" (quaest.hebr.in gen.33,14
> p.1o18).[125]

Doch die Vermittlung im "universalwissenschaftlichen" Bereich
sah Hieronymus nicht als seine eigentliche Aufgabe an. Es war
vor allem die Übersetzertätigkeit, für die er wie geschaffen
war[126]. Er hatte die Kenntnisse, biblische Texte nach griechischen Vorlagen zu revidieren und den Lateinern so etwas
Besseres zu bieten als sie bereits hatten[127]. Vor allem aber
wollte er auch griechische Texte vermitteln, die im westlichen
Teil des orbis Romanus mangels Sprachkenntnissen noch nicht
bekannt waren, obwohl sie schon lange existierten; die griechischen Exegeten und Kirchenväter wie z.B. Euseb, dessen
chronologische Tabellen er übersetzt und überarbeitet herausgibt[128], allen voran freilich die genialen Werke des Origenes.

Hatten doch die Lateiner, genau wie in den Profanwissenschaften
früher, auch jetzt in den kirchlichen Wissenschaften, vor allem
in der Exegese, noch wenig geleistet[129]. Als Hieronymus mit
diesem großen Exegeten und Systematiker bekannt wurde, spürte
er sofort, daß bisher der römischen Kirche ein wichtiger Teil
kirchlichen Denkens und kirchlicher Tradition unerschlossen
geblieben war, und er begann damit, seinen Landsleuten Origenes
nahezubringen. Über Hieronymus' Verhältnis zu Origenes ist viel
spekuliert und viel gearbeitet worden[130], und auch in dieser
Schrift wird davon noch die Rede sein müssen. Hier sei nur soviel gesagt: Hieronymus hat sich niemals für die dogmatische
Seite der kirchlichen Lehre interessiert, sondern neben seinem
asketischen Ideal, das ihm "Evangelium im Evangelium" war, wie
GRÜTZMACHER[131] sagt, stets nur für den Bibeltext und seine Auslegung. Deshalb sind es vor allem die Bibeldeutungen, auch und
gerade die sehr spekulativen, die dem römischen Mönch Origenes
so wertvoll machen: Derartiges hatte lateinischer Geist nicht
ersonnen. Das übrige Lehrgebäude des Origenes (seine eigentlichen Leistungen) bedeutete ihm herzlich wenig. So ist es eigentlich nicht verwunderlich, daß Hieronymus sich sofort vom
"dogmatischen" Origenes distanzierte, als man ihm plausibel
machte, daß die Lehren jenes Mannes der Rechtgläubigkeit
katholischer Christen gefährlich seien. Den "exegetischen" Origenes hat er fortan vorsichtiger benutzt[132]. Aber ganz auf ihn
verzichten, das wollte und konnte er nicht. Schließlich waren
es ja auch die Römer selbst, die nach Origenesübersetzungen
verlangten, mehr fast, als Hieronymus ihnen geben konnte, wie
er selbst bezeugt:

> "magnum est quidem, amice, quod postulas, ut
> Origenem faciam Latinum, et hominem iuxta
> Didymi videntis sententiam alterum post
> Apostolum ecclesiarum magistrum etiam Romanis
> auribus donem." [133]

Ein andermal lehnt er eine Forderung rundweg ab:

> "si quidem illud quod olim Romae sancta Blae-
> silla flagitaverat, ut viginti quinque tomos
> illius (scil. Origenis) in Matthaeum et quin-
> que alios in Lucam et triginta duos in Iohannem

> nostrae linguae traderem, nec virium
> mearum nec otii nec laboris est." 134

In welchem Ausmaß Hieronymus dem Westen Origenes dadurch ver-
mittelt hat, daß er dessen Exegese in seine eigenen Bibelkommen-
tare aufnahm, können wir heute nicht mehr überall nachweisen.
Sicher ist nur, daß er ihn sehr intensiv benützt hat[135].
Kommen wir aber zu Hieronymus' wichtigster und eigentlicher
Leistung, der Übersetzung aus dem Hebräischen und Vermittlung
hebräischen Gedankenguts. Man hat Hieronymus manchen schlechten
Charakterzug nachgesagt, angefangen von der Sinnlichkeit über
Eitelkeit, mimosenhafte Empfindlichkeit, aufbrausendes Tempera-
ment und Unwahrhaftigkeit bis hin zur Gesinnungslosigkeit. Man
wird einigem, vielleicht sogar vielem von dem, was GRÜTZ-
MACHER[136] sagt, zustimmen können. Aber gesinnungslos ist Hieronymus bestimmt nicht gewesen. Wenn er einmal etwas für sich als
richtig akzeptiert hatte, dann hat er dieser Sache die Treue
gehalten: Dies verhielt sich so mit seinem Virginitätsideal,
dies war aber auch der Fall bei seinem Bemühen um die "Hebraica
veritas".

Im Vorwort zum ersten Kommentar, den Hieronymus in Bethlehem
verfaßt, legt er seine Haltung offen: Zwar konsultiert er die
Septuaginta, auch Aquila, Symmachus und Theodotion, übersetzt
aber selbst aus dem Hebräischen, um diesen Text zur Grundlage
seines Kommentar zu machen:

> "reddo quod debeo, hoc breviter admonens, quod
> nullius auctoritatem secutus sum, sed de Hebraeo
> transferens, magis me Septuaginta interpretum
> consuetudini coaptavi, in his dumtaxat, quae non
> multum ab Hebraicis discrepabant. interdum Aqui-
> lae quoque et Symmachi et Theodotionis recorda-
> tus sum, ut nec novitate nimia lectoris studium
> deterrerem nec rursum contra conscientiam meam
> fonte veritatis omisso opinionum rivulos con-
> sectarer" (in eccles.praef. p.249).

Das Zurückgehen zur "Quelle der Wahrheit" des Hebräischen ist
für Hieronymus eine Gewissensfrage, aber es ist für ihn auch
eine Frage der sachlichen Notwendigkeit, wie ep.24 erhellt:
immer wieder zeigt Hieronymus, daß die richtige Exegese nur
auf dem authentischen, dem hebräischen Text beruhen kann.

Nach demselben Verfahren kommentiert er Daniel, Isaias,
Ezechiel und Jeremias, d.h. diesen Kommentaren liegen Hieronymus' eigene Übersetzungen aus dem Hebräischen als Text zugrunde (bei Daniel mußte er teils auch aus dem Aramäischen[137]
übersetzen). Bei der Auslegung der "kleinen" Propheten, die er
sukzessive mit zeitlicher Unterbrechung herausgibt, orientiert
er sich ebenfalls am hebräischen Text[138], besonders wenn er
Übersetzungsfehler der Septuaginta nachweisen kann, die er
getreulich referiert[139], und verhilft so den Lateinern zur
Kenntnis der ursprünglichen Textgestalt.

Nur in den Psalmenkommentaren verfuhr Hieronymus anders und
richtete sich nach der gebräuchlichen altlateinischen Übersetzung, statt nach seinem eigenen neu aus dem Hebräischen
übersetzten Text. MORINs These, die GRÜTZMACHER III 22 mit-
teilt, ist ansprechend: Hieronymus habe den Kommentar auf
Bitten seines Freundes Rufin[140] verfaßt, der gegen die Berück-
sichtigung des Hebräischen eingestellt war.

Als Quellen für seine Auslegungen benutzte Hieronymus, wie
schon gesagt, Origenes und andere, daneben vermittelte er dem
Westen aber auch die jüdischen Traditionen. Inhaltlich führten
sie freilich meist nicht weiter, aber die Lateiner konnten
sicher nicht nur über die Spitzfindigkeit der Rabbiner staunen,
sondern auch manche ihnen bisher fremde Einzelheit im Kontext
des ihnen jetzt erschlossenen anderen Kulturkreises besser
verstehen und würdigen. Hieronymus jedenfalls bemühte sich,
solches Verständnis zu fördern. Drei lexikonartige Bücher,
eines über hebräische Eigennamen, eines über hebräische Ortsnamen und "Hebräische Untersuchungen zur Genesis" sollten dazu
verhelfen. Für die beiden erstgenannten konnte sich Hieronymus
auf Vorarbeiten stützen[141], mit dem letzteren schuf er - und er
war sich dessen voll bewußt[142] - etwas ganz Neues: Den Zweck
des bis 391 fertiggestellten Werks, laut GRÜTZMACHER (II 62)
und BARDENHEWER (III 619) eine Vorarbeit zu den Bibelübersetzungen aus dem Hebräischen, erklärt Hieronymus in einem
Vorwort:

"studii ergo nostri erit, vel eorum, qui de

> libris Hebraicis varia suspicantur errores
> refellere vel ea quae in Latinis et Graecis
> codicibus scatere videntur auctoritati suae
> reddere. etymologias quoque rerum, nominum
> atque regionum, quae in nostro sermone non
> resonant, vernacula lingua explanare ratione.
> et quo facilius emendatio cognoscatur, ipsa
> primum, ut apud nos sunt, testimonia propo-
> nemus et ex collatione eorum, quae sequuntur,
> quod in illis, aut minus aut plus aut aliter
> sit, indicabimus." [143]

Schon im voraus verteidigt sich Hieronymus gegen Angriffe:
Er wolle nicht die Septuagintaübersetzung der Irrtümer be-
schuldigen. Aber es hätten doch auch die Evangelisten, Jesus
selbst und Paulus nach dem hebräischen Text zitiert, der folglich mit dem Neuen Testament übereinstimme[144].

Hieronymus hatte bereits in Rom erfahren müssen, daß seine
Zeitgenossen seine Arbeit nicht zu würdigen wußten, obwohl es
sich damals nur um Textverbesserungen nach griechischen Vorlagen gehandelt hatte[145]. Seit er aber Texte und Traditionen
der Juden aufwertete, um sie für die christliche Kirche nutz-
bar zu machen, war er noch mehr Anfeindungen ausgesetzt.
Trotzdem ließ er sich nicht entmutigen und wagte gegen allen
Widerstand und alle Verständnislosigkeit das wichtigste Werk
seiner Vermittlertätigkeit, die Neuübersetzung des Alten Testaments aus den hebräischen Texten ins Lateinische. Von den An-
griffen, denen er deshalb ausgesetzt war, zeugen noch seine
bitteren Bemerkungen in den Prologen[146]. Wären nicht seine
Freunde gewesen und ein stetig wachsender Kreis von Bewunderern
und Anhängern, die ihn ermutigten und bestärkten[147], hätte er
sein Ziel, die "Hebraica veritas" dem Westen zu bringen, vielleicht nicht mit solcher Zähigkeit und Ausdauer verfolgt.
Hieronymus war gewiß kein Genie. Aber seine Intelligenz, seine
philologische Begabung und sein praktischer Verstand ließen ihn
erkennen, daß er etwas Richtiges und Notwendiges unternahm.
Und indem er dies tat wider alle Verständnislosigkeit seiner
Zeit, hat er etwas Geniehaftes vollbracht, das die Jahrhunderte
überdauerte. So ist er auch in anderem Sinn Vermittler geworden:
zwischen seiner Zeit, der er voraus war, und den nachfolgenden

Generationen bis heute.

b) alte Freunde und alte Verbindungen

Zwar nicht wegen seiner Bibelübersetzungen, aber wegen seiner
sonstigen Veröffentlichungen galt Hieronymus interessierten
Christen in aller Welt bald als eine Art Orakel, das nicht
nur in exegetischen Fragen angegangen wurde, sondern auch in
persönlichen Problemen mit der rechten christlichen Lebens-
führung oder in kirchlichen Angelegenheiten[148].
Doch fast während dieser ganzen Zeit blieben seine alten
Verbindungen zu Rom und die herzlichen Beziehungen zu seinem
ehemaligen Freundeskreis bestehen. Seine Schülerinnen, die er
in Rom zurückließ, sind bereits genannt worden; der Kreis
erweiterte sich in der Folgezeit noch. Daß Hieronymus aber
auch mit einigen Männern der römischen Gesellschaft befreundet
ist, erfahren wir erst aus seiner von Bethlehem aus geführten
Korrespondenz. Es lohnt sich, diese Beziehungen des Hieronymus
einmal näher anzusehen.
Die hervorragende Gestalt ist zweifellos Pammachius[149], und
seine Person soll hier stellvertretend für die anderen Freunde
stehen, über die wir kaum mehr als den Namen wissen[150], während
uns Pammachius aus den Schriften des Hieronymus etwas vertrauter
ist.
Die Bekanntschaft beider Männer geht bereits auf die gemeinsame
römische Schulzeit zurück; "condiscipulum quondam et sodalem et
amicum" nennt ihn Hieronymus ep.49,1. Auch in der Trostschrift
zum Tod von Pammachius' Frau Paulina[151] erinnert Hieronymus an
den Unterricht, den beide zusammen genossen[152]. Es ist aber
anzunehmen, daß ihre Beziehungen zu jener Zeit nicht sehr eng
waren; jedenfalls unterhielt Hieronymus in der Folgezeit zu ihm
keine briefliche Verbindung, von der wir wissen.
Unter welchen Umständen die Schulfreunde in Rom wieder zusammen-
trafen, kann man nur vermuten. Die oben genannte Paulina war
nämlich eine Tochter der Paula, zu der Hieronymus möglicherweise über die ihr befreundete Marcella Kontakt bekam, so daß
sich die beiden Männer vielleicht im Haus der Paula wiederge-

sehen haben. Es ist aber ebensogut möglich, daß umgekehrt
Pammachius den früheren Mitschüler seiner Schwiegermutter vor-
gestellt hat, oder daß das Wiedersehen beider unabhängig von
Paula durch den Zufall herbeigeführt wurde.
Hieronymus jedenfalls konnte sich glücklich schätzen, einen
solchen Freund (wieder-)gewonnen zu haben[153]. Pammachius,
Sproß der berühmten gens Furia, Urenkel von Konsuln und einflußreicher Senator[154], repräsentiert das Rom seiner Zeit in
fast symbolhafter Weise: Dem alten Rom angehörend durch Herkunft und Amt, ist er als entschiedener Christ doch auch Teil
des neuen Rom. Für seinen Glauben und seine Kirche macht er
seine Autorität geltend und erwirbt sich so auch unter den
Christen das Ansehen und die Stellung, die ihm das weltlich-
heidnische Rom schuldete[155]. Er geht schließlich noch einen
Schritt weiter und wird nach dem Tod seiner Frau selbst Mönch,
d.h. er bleibt ehelos, setzt sein Vermögen für wohltätige
Zwecke ein und scheut sich weder, unter seinen purpurbekleide-
ten Standesgenossen im Senat in einer einfachen schwarzen
Tunika zu erscheinen, noch mit eigener Hand den Armen Hilfe
zu leisten[156].
Pammachius war es auch, der von Rom aus eine Brücke schlug
nach Bethlehem, da Hieronymus sich nach dem Fiasko, das er
dort hatte erleben müssen, zunächst zurückgezogen hatte[157].
In der Folgezeit ist dann die Verbindung mit Rom nie mehr
abgerissen.
Es war besonders der römische Freundeskreis, der, wie schon
gesagt, Hieronymus' hebräische und biblische Studien unterstützte. In ep.48,4 erfahren wir, daß ihm die Übersetzung der
16 Propheten aus dem Hebräischen geschickt wird; Marcella war
die Übersetzung des Buches Hiob gesandt worden, und Hieronymus
empfiehlt dem Freund[158], die Schriften auszutauschen. Einem
anderen Freund, Domnio, hat Hieronymus Kommentare zu den
kleinen Propheten und die Übersetzung der 4 Königsbücher
zukommen lassen; auch diese soll Pammachius sich ansehen.
Weiter zeugen einzelne Widmungen von Kommentaren und Übersetzungen[159] für den ständigen geistig-religiösen Kontakt

zwischen Rom und Bethlehem, und zahlreiche Briefe, besonders die schon mehrfach erwähnten Epitaphien spiegeln die innigen Beziehungen zwischen Hieronymus und seinen alten Freunden wider. Zwei Ereignisse aber verbanden Hieronymus und Rom in besonderer Weise: Das eine möchte ich als das bedeutendere und tiefgreifendere im folgenden in einem eigenen Abschnitt behandeln, das andere hier nur kurz anschneiden:

Wie oben erwähnt, hatte Pammachius sich zunächst von Rom aus an Hieronymus gewandt. Anlaß waren die Schriften eines gewissen Jovinian, der zwar bereits als Ketzer verurteilt war[160], dessen Thesen aber - im wesentlichen waren sie gegen das Mönchtum gerichtet - in Rom immer noch Unruhe stifteten und vor allem den asketisch ausgerichteten Anhängern des Hieronymus zu schaffen machten. So schickten ihm die Freunde die gegnerischen Schriften zu und baten Hieronymus um Stellungnahme[161]. Hieronymus hatte nun doppelten Grund, der Bitte seiner Freunde nachzukommen: Einmal galt es ja, sein großes Ideal der Askese zu verteidigen, zweitens galt es, die Saat seiner Bemühungen um dieses Ideal, die er in Rom gelegt hatte, zu schützen (und ganz nebenbei konnte er zwanglos mit Rom wieder Verbindung aufnehmen, ohne über das Vergangene peinliche Worte machen zu müssen).

Mit viel Aufwand an Bibelzitaten und mit noch größerem Eifer hat sich Hieronymus dieser Aufgabe unterzogen[162] - mit zuviel Eifer: Die Verteidigung der Jungfräulichkeit wird bei ihm zur Beschimpfung der Ehe. Die Freunde sind betroffen. Der damals noch verheiratete Pammachius reagiert rasch und zieht alle Exemplare der Schrift, deren er habhaft werden kann, aus dem Verkehr. Daß dies "klug und liebevoll" gehandelt war, muß schließlich auch Hieronymus einsehen, wenn die Maßnahme auch, wie er sagt, nutzlos war, da die Verbreitung der Schrift sich bereits jeder Kontrolle entzog[163]. Gegenüber Pammachius (ep.49) und Domnio (ep.50) verteidigt sich Hieronymus und betont, er habe nicht die Ehe herabsetzen, sondern sie nur dem jungfräulichen Stand nachordnen wollen. Seine Freunde haben seine Motive sicher richtig verstanden, doch um den

gemeinsamen Gegnern nicht noch mehr Angriffsfläche zu bieten,
mußten sie Hieronymus Mäßigung auferlegen.

c) Hieronymus und Rom im Origenistenstreit

Man sieht aus dem Vorfall, daß es dem Freundeskreis des Hieronymus - und ihm durch diesen - grundsätzlich möglich war, in
Rom einen starken Einfluß auszuüben, sowohl auf Papst und
Kurie als auch auf das Volk der Gläubigen[164]. In diesem Fall
war die "konzertierte Aktion" fehlgeschlagen. Aber in einer
anderen, sehr grundsätzlichen Auseinandersetzung der römischen
Kirche mit einem der Häresie Verdächtigen war Hieronymus und
seinen Freunden der Sieg beschieden: Gemeint ist der Origenistenstreit, der hier vom Blickpunkt Rom her betrachtet
werden soll. Ein nochmaliges Aufrollen des ganzen Hergangs ist
unnötig[165]; es soll vielmehr gezeigt werden, wie die Stadt zum
Schauplatz wurde und welche Rolle Hieronymus und seine Freunde
in der ganzen Auseinandersetzung spielten.

Der konservative Klerus Roms - es mögen hier nationalrömische
Eigenschaften wie praktischer Sinn und nüchterner Verstand
sowie ein gewisses Mißtrauen gegen die hochfliegenden Ideen
des orientalischen Denkens mit im Spiel gewesen sein[166] - war
von jeher gegen Origenes gewesen, wie Hieronymus sich in Rom
beklagt:

> "Roma ipsa contra hunc (scil. Origenem) cogit
> senatum[167] non propter dogmatum novitatem,
> non propter heresim, ut nunc adversum eum
> rabidi canes simulant, sed quia gloriam
> eloquentiae eius et scientiae ferre non
> poterant et illo dicente omnes muti puta-
> bantur" (ep.23,5).

Hieronymus nämlich versuchte damals, Origenes dem Westen zu
vermitteln[168]. Wie sich die Freunde des Hieronymus dazu
stellten, ist nicht bekannt. Paula, die ihm ergebene, ist ihm
mit ihrer Tochter Eustochium sicher gefolgt, bei der intellek-
tuelleren und selbständigeren Marcella ist dies nicht in
gleicher Weise anzunehmen; sie mag, ebenso wie Pammachius,
zurückhaltend gewesen sein. Schließlich war zu diesem Zeitpunkt auch in Rom bekannt, daß sich Origenes Häresien hatte
zuschulden kommen lassen (auch wenn Hieronymus dogmatische

Gründe für die Gegnerschaft innerhalb der römischen Kirche
leugnet) und er war in anderen Teilen des orbis schon weit-
gehend verurteilt worden[169]. Allerdings muß man dem Eifer des
Hieronymus zugute halten, daß ihn ausschließlich die exegetische Seite des großen Denkers interessiert. Dogmatische
Lehrgebäude sind ihm gleichgültig[170].
So konnte es, wie gesagt, geschehen, daß Hieronymus, einmal
überzeugt von der Tatsache, daß die Lehren des Origenes nicht
mit dem christlichen, dem von den Aposteln überlieferten
Glauben übereinstimmten, vom Anhänger zum Gegner des vorher
Gerühmten wurde, ja sogar zu einem der erbittertsten Gegner,
stand doch jetzt die Rechtgläubigkeit auf dem Spiel.
Anders als Hieronymus reagierte Rufinus, als er sich von
Origenes lossagen sollte. Rufin war ein enger und vertrauter
Freund des Hieronymus aus seinen Jugendtagen[171]. Zusammen hatten sie in Rom die Schule besucht, auch Rufin hatte sich dem
Mönchtum verschrieben, war Mitglied des asketischen Kreises
von Aquileia gewesen, war ebenfalls in den Orient gegangen
und hatte sich, als Hieronymus sich in sein römisches Aben-
teuer stürzte, längst für den Orient entschieden, 8 Jahre in
Ägypten verbracht und sich in Jerusalem auf dem Ölberg in
einem Kloster niedergelassen, von wo aus er freundschaftliche
Beziehungen zu Bischof Johannes von Jerusalem unterhielt;
dieser war ebenfalls Origenist, und ebenso weigerte er sich,
jedenfalls zunächst, seine früheren Ansichten aufzugeben.
Dadurch kam es zur Auseinandersetzung zwischen dem Bischof,
den Rufin beharrlich unterstützte, und Hieronymus: Aus den
einstigen Freunden wurden so Feinde.
In der ersten Phase ist der Origenistenstreit noch auf den
Orient beschränkt, doch seine Auswirkungen zeigen sich bereits
in Rom: Johannes von Jerusalem hatte seine Rechtgläubigkeit
in einem Brief an Bischof Theophilus von Alexandria verteidigt, und plötzlich taucht eine Übersetzung dieses Briefes
in Rom auf[172]. Gleichzeitig richtet Bischof Epiphanius von
Salamis auf Cypern, Vorkämpfer des Antiorigenismus, einen
Brief an den römischen Bischof Siricius. Da nun die Stellung-

nahme der römischen Kirche derartig herausgefordert ist,
treten wieder die Freunde des Hieronymus auf den Plan. Wie
schon im Fall der Ketzereien Jovinians soll Hieronymus auch
jetzt mit seinem Eingreifen der Gefährdung des römischen
Glaubens entgegenwirken. Hieronymus antwortet mit einer
Streitschrift gegen Johannes, in deren Einleitung (c.Ioh.1)
er klarstellt:

> "nosti, Pammachi, nosti me ad hoc opus non
> inimicitiis, non gloriae cupiditate descen-
> dere, sed provocatum litteris tuis ex ardo-
> re fidei...nisi ad apologiam (scil.Iohannis),
> de qua nunc scribere institui, multorum ani-
> mos diceres perturbatos et in utramque par-
> tem fluctuare sententiam, decreveram in
> incepto silentio permanere."

Zudem kann Hieronymus, der sich in seiner Haltung gegen Origenes jetzt in Einklang mit der Mehrheit der Kirchen und ins-
besondere mit der römischen weiß, nicht dulden, daß er in Rom
verleumdet wird: "κατηγορία et laciniosus contra nos sermo",
nennt er das Schreiben des Johannes[173].
Wegen der Aussöhnung der streitenden Parteien in Jerusalem
und Bethlehem gelangte das Pamphlet trotzdem vielleicht zu
diesem Zeitpunkt nicht an die Öffentlichkeit[174]. Nach Rom
kann vorläufig Friede gemeldet werden.
Doch dieser sollte nicht lange anhalten. Rufin verläßt bald,
nach zwanzigjährigem Aufenthalt in Jerusalem den Orient (insgesamt lebte er fast 3o Jahre im Osten) und reist nach Rom.
Seine Motive sind nicht bekannt. Doch da in Palästina die
prominenten früheren Origenesanhänger einschließlich des
Bischofs Johannes sich jetzt der geforderten Rechtgläubigkeit
unterworfen haben und Rufin als einziger Origenist noch
übrigblieb, könnte die Enttäuschung über den Gesinnungswechsel
ein Beweggrund gewesen sein. Wahrscheinlich aber hoffte er
sogar, in Rom Verbündete zu finden und für seine Überzeugung
wirksamer tätig sein zu können. In Jerusalem hatte er in
enger Freundschaft mit der vornehmen Römerin Melania[175]
gelebt. Durch ihren Einfluß und ihre Verbindung konnte er
hoffen, in Rom Fuß zu fassen. Schließlich hatte sich Hiero-

nymus, der sich jetzt als Antiorigenist hervortat, in Rom
nicht gerade beliebt gemacht.

In Rom angekommen, wird Rufin in der Tat bald schriftstellerisch
tätig, auf Drängen eines seiner Freunde, Macarius, wie er sich
später entschuldigt[176]. Er übersetzt zunächst ein Werk des
Märtyrers Pamphilus zur Verteidigung des Origenes[177] und
bald darauf von Origenes selbst Περὶ ἀρχῶν.

Noch bevor die Arbeit publiziert ist, kommt sie Hieronymus'
Freunden in die Hände (jedenfalls haben sie den verdächtigen
Rufin und seine Tätigkeit mißtrauisch beobachtet und konnten
so der Schrift schnell habhaft werden). Und wieder einmal
fühlten sie sich genötigt, Hieronymus um seine Hilfe und vor
allem Stellungnahme zu bitten. Denn es war nicht nur die
Tatsache als solche unerhört, daß Rufin die Schrift eines nun
fast allgemein verurteilten Ketzers übersetzt hatte, nicht
nur war er, wie sich bald herausstellte, mit dem Text höchst
eigentümlich verfahren (er hatte nämlich alle dogmatisch an-
stößigen Stellen mehr bearbeitet als übersetzt)[178]: Zu allem
hatte er in einem Vorwort seine Arbeit so dargestellt, als
handle er im Sinn des Hieronymus, indem er das unternehme, was
jener sich vorgenommen und nicht durchgeführt habe[179].
Anscheinend hatte er Hieronymus' Ansehen in Rom unterschätzt
und geglaubt, nun seinerseits hier Einfluß nehmen zu können.
Zusammen mit Abschriften aus Rufins Übersetzung senden Pammachius und der schon erwähnte Oceanus[180] einen Brief an
Hieronymus, mit dem dieser sich später gegen den Vorwurf verteidigen kann, er habe den Jerusalemer Frieden nicht gehalten:

> "scribebatur mihi de urbe a viris Pammachio
> et Oceano in Christo praecipuis: responde
> criminanti, ne si tacueris, consensisse
> videaris."[181]

Anders als in den beiden vorangegangenen Fällen reagiert
Hieronymus nicht sofort mit einer Streitschrift, sondern be-
gnügt sich damit, die von den Freunden geforderte Kontroll-
übersetzung von Περὶ ἀρχῶν zu liefern[182]. Schließlich hatte er
es jetzt nicht mit irgendeinem Gegner, sondern mit seinem
einstigen Freund Rufin zu tun. Diesem schreibt er sogar noch

gleichzeitig einen im ganzen recht versöhnlich gehaltenen
Brief nach Rom, wenn er auch deutlich zu erkennen gibt, daß
ihn Rufins Handeln schwer getroffen hat[184].
Nun aber gleitet Hieronymus die Angelegenheit durch den Lauf
der Ereignisse aus den Händen: Seine römische Anhängerschaft
handelt gegen seinen Willen, indem sie dafür sorgt, daß
Rufin der verbindliche Brief nicht in die Hände kommt[185].
Stattdessen kursiert der zwar sachliche, aber doch, was Rufin
angeht, recht unpersönliche Brief, durch den sich Hieronymus
reinwäscht[186]. Dazu kommt, daß Rufin, der wohl vorher schon die
Machtverhältnisse, wie sie zwischen seinen und Hieronymus'
Anhängern bestanden, falsch eingeschätzt hatte (Roms Klerus
war, wie gesagt, im Grunde antiorigenistisch eingestellt und
so hatte ihn die Mönchspartei in diesem Fall nicht gegen sich),
erleben mußte, daß nach dem plötzlichen Tod des Bischofs Siricius - es war derselbe, der Hieronymus und seinen Anhängern
mit Mißtrauen begegnet war und unter dem Hieronymus Rom verlassen hatte - sich die allgemeine Stimmung endgültig gegen
ihn kehrte: Der Nachfolger auf dem Stuhl Petri, Anastasius[187],
war wieder mehr dem Freundeskreis des Hieronymus geneigt. Von
diesem konnte sich Rufin nicht erhoffen, daß er ihm, wie Siricius vorher, seine Rechtgläubigkeit bescheinigen würde[188]. Er
zog sich daher nach Aquileia zurück, wähnte sich von aller
Welt verlassen und von Hieronymus verspottet und tat so einen
Schritt, der die langjährige Freundschaft der beiden Männer
für alle Zeiten beendete: Er war es, der nun eine Streitschrift
gegen Hieronymus verfaßte, in der er alles unterbrachte, was
ihm an Vorwürfen einfiel, angefangen von der früheren origenistischen Gesinnung des Hieronymus über den Vorwurf des Eid-
bruchs, weil Hieronymus sein Gelübde[189], keine Klassiker mehr
zu lesen, nicht gehalten habe, bis hin zu den hebräischen
Studien, die Verrat am Christentum seien, wahrlich keine sehr
feine Art, einen ehemaligen Freund zu behandeln.
Daß Hieronymus nun seinerseits mit einer Streitschrift reagiert, muß nach dem Dargelegten unausweichlich scheinen. Jetzt,
nach dem Verrat des Rufin - er konnte nicht wissen, daß sein

Brief nicht angekommen war; die Freunde hatten ihn vorerst,
ohne den genauen Wortlaut des Schreibens zu kennen, nur von
den Anklagen Rufins informiert - sah Hieronymus keinen Grund
mehr, auf die alte Freundschaft Rücksicht zu nehmen[190].
CAMPENHAUSEN (143) führt als Motiv für Hieronymus' Erbitterung
an, daß Rufin sich für seine Kampagne gerade Rom ausgesucht
hatte, "Rom, das Hieronymus unter so schmerzlichen Umständen
verlassen hatte". Sicher mag Hieronymus, in Erinnerung an
sein früheres Wirken in Rom, das Gefühl gehabt haben, dort
Terrain verteidigen zu müssen, doch da Rufin sich inzwischen
in Aquileia aufhielt, kann solche Eifersucht keine große
Rolle mehr für ihn gespielt haben.
Der eigentliche Beweggrund ist, wie auch bei seinem bisherigen
Eingreifen in Rom, ein doppelter: Er muß seine eigene Rechtgläubigkeit und die der römischen Kirche verteidigen. Sie und
ihr Glaube liegen, wie wir bereits gesehen haben, Hieronymus
besonders am Herzen[191]. Sich selbst hat freilich Hieronymus
bereits in seinem Brief an die Freunde verteidigt und kann es
dabei bewenden lassen. Er hat Selbstbewußtsein genug, davon
überzeugt zu sein, daß Rom seine Arbeit längst gebilligt und
anerkannt hat und daß er um seine Autorität eigentlich nicht
besorgt sein muß.
Schließlich war er und kein anderer aufgerufen, Rom zu Hilfe
zu kommen:

> "consona omnes voce poscebant, ut Origenis
> versutias proderem, ut venena haereticorum
> Romanis auribus cavenda monstrarem",
> adv.Ruf.3,36.

Diese Einmütigkeit, die freilich so nicht gegeben war, betont
Hieronymus auch 3,37. Er, der in Fragen des Bibeltextes in Rom
schon lange eine Autorität ist ("Psalterium quoque, quod certe
emendatissimum iuxta Septuaginta interpretes nostro labore dudum Romae suscepit..."), soll auch jetzt das Urteil über Rufins
Übersetzung fällen:

> "quae cum legissem contulissemque cum Graeco,
> illico animadverti, quae Origenes de Patre et
> Filio et Spiritu Sancto impie dixerat et quae
> Romanae aures ferre non poterant, in meliorem

partem ab interprete commutata", 1,6.

"quid necesse erat, Latinis auribus tradere,
    quod detestatur Graecia, quod orbis accusat",
klagt er 1,8[192]. Hieronymus benutzt hier mit Romanae oder
Latinae aures dieselbe Terminologie, die er für seine eigene
Vermittlertätigkeit gewählt hat, aber er ist sich des grundlegenden Unterschieds zwischen Rufin und sich wohl bewußt:

"numquam de opere meo fuit quaestio,
    numquam Roma commota est", 1,8.

Bereits in dem Brief an Paulin von Nola, den er schrieb, als
er wegen der Übersetzung von Περὶ ἀρχῶν den versprochenen
Danielkommentar aufschieben muß, betont Hieronymus, daß er
wegen des gefährdeten römischen Glaubens eingreife:

"in tempus aliud distulissem, nisi omnis paene
    fraternitas de urbe eadem postulasset adserens
    multis periclitari et perversis dogmatibus
    adquiescere", ep.85,3.

Jetzt, in seiner Schrift gegen Rufin, wiederholt er dieses
Motiv und beschuldigt gleichzeitig seinen ehemaligen Freund,
"ad cuius interpretationem Roma contremuit" (3,21):

"libros Origenis Περὶ ἀρχῶν a te esse transla-
    tos et simplici Romanae ecclesiae plebi tradi-
    tos, ut fidei veritatem, quam ab Apostolo
    didicerant, per te perderent", 3,2o.

Doch im Bewußtsein der Tatsache, daß Anastasius auf Seiten der
Antiorigenisten ist, kann Hieronymus auch behaupten:

"attamen scito Romanam fidem, apostolica voce
    laudatam, istiusmodi praestigias non recipere",
    3,12.

Rom hat sich schließlich für die Ablehnung des Origenes entschieden. Inwieweit Hieronymus' Streitschrift dabei einen Einfluß gehabt hat, ist schwer nachzuweisen[193]. Hieronymus weiß
aber selbst, daß seinen Freunden in Rom und allen voran Marcella der Löwenanteil am Sieg zukommt[194]. Anastasius, der
Bischof von Rom, der in dogmatischen Fragen (jedenfalls, was
den Origenismus betraf) keine Ahnung hatte[195], war mehr zufällig dazu gekommen, eine Lehre zu verdammen, die in eine
Sackgasse geführt hätte: Die katholische Lehre konnte nur
überlebensfähig sein, wenn sie sich nicht in ein ausgeklügeltes

System verlor, wenn sie sich in den schwierigen Fragen von
Gott und Jenseits nicht auf ein Entweder-Oder festlegte,
sondern offen blieb für ein Sowohl-Als auch bzw. für ein
Weder-Noch, offen also für Weiterentwicklung. Hieronymus'
Freundeskreis in Rom, der zum großen Teil dem alten Adel ent-
stammte, den Häusern, die früher die Politik der Stadt bestimmten, war offensichtlich ausgestattet mit einem wachen
Instinkt in Glaubensfragen, der ihn sowohl Hieronymus' über-
zogene Thesen zur Ehelosigkeit richtig beurteilen ließ als
auch das viel komplexere Gebiet des Origenismus[196].
Das Drama des Origenistenstreites vollzog sich auf der Bühne
Rom, doch seltsamerweise ohne die beiden Protagonisten Hieronymus und Rufin: Andere hatten dabei die Fäden in der Hand.

4. D e r   F a l l   R o m s : E i n e   W e l t   b r i c h t
z u s a m m e n

Niemals verliert Hieronymus vom fernen Bethlehem aus, wo er
seit dem Jahr 386 lebt, den Kontakt zur Stadt Rom, steht in
brieflicher und durch Besucher sogar in persönlicher Verbindung mit seiner früheren Wahlheimat und greift, wie wir gesehen haben, auch in Entwicklungsprozesse der römischen Kirche
ein, die bereits auf dem besten Weg ist, ihre Führungsrolle
in der katholischen, der allgemeinen Kirche durchzusetzen.
In Verbindung zu Rom steht Hieronymus aber auch dadurch, daß
Bethlehem ein Teil des orbis Romanus ist. Bedeutet ihm dies
etwas?
Hieronymus kümmert sich wenig um Politik, "ce qui est d'
ailleurs normal pour un moine érudit" (PASCHOUD 218). Im allgemeinen äußert er sich nicht zu aktuellen politischen Verhältnissen. GRÜTZMACHER (I 275/276) wundert sich, daß der
Streit um den Victoriaaltar bei Hieronymus keinen Niederschlag
findet, der doch noch während Hieronymus' Romaufenthalt begann[197], und daß Hieronymus überhaupt selten "seine spitzen
Pfeile gegen das Heidentum richtete". Ich meine aber, dies
liegt daran, daß solche Vorgänge (GRÜTZMACHER nennt noch ein

pro-heidnisches Dekret, erwirkt von Vettius Agorius Praetextatus[198] im gleichen Jahr 384) einfach nicht interessierten.
Doch einmal kommt Hieronymus in Konflikt mit einem der Mäch-
tigen seiner Zeit, Stilicho[199]. In seinem Isaiaskommentar ver-
wahrt er sich gegen falsche Verdächtigungen; man hatte ihm
offensichtlich vorgeworfen, die Interpretation des vierten
(schwachen) Danielreiches auf Rom[200] sei eine persönliche
Kritik des Hieronymus an der Politik Stilichos:

> "quod...super Romano regno interpretatus sum,
> quod primum forte, dein imbecillum scriptura
> portendit, non mihi imputent, sed prophetae."

Kritisches und Aktuelles hatte er freilich seiner Danielexe-
gese unmittelbar angefügt:

> "...quando et in bellis civilibus et adversum
> diversas nationes aliarum gentium barbararum
> indigemus auxilio."[201]

Also registriert Hieronymus immerhin bestimmte Geschehnisse im
orbis Romanus, und er registriert sie nicht nur, sondern kritisiert sie, nicht aus Distanz und klösterlicher Abgeschieden-
heit, sondern als Betroffener, als Römer: "indige m u s auxi-
lio", sagt er ausdrücklich. Betroffen aber von den Verhältnissen im römischen Reich ist Hieronymus nicht erst seit dem Jahr
4o7, in dem er seinen Danielkommentar schrieb. Schon lange vorher, nämlich im Jahr 396, beklagt er den fortschreitenden
Verfall des römischen Reiches, und mit dem Fall Roms hört er
noch lange nicht auf, seinen Schrecken und seine Bestürzung
zu äußern. So müssen wir also zu der Feststellung, daß Hieronymus an Politik nicht interessiert ist, eine Einschränkung
machen: Die Sicherheit Roms und des orbis Romanus ist für
Hieronymus anscheinend von eminent wichtiger Bedeutung.
Im Jahr 396 schreibt Hieronymus seinem schon erwähnten Freund
Heliodor, inzwischen Bischof von Altinum, ein Epitaphium zum
Tod Nepotians, seines Neffen. Mit Kapitel 15 bricht Hieronymus
das eigentliche Trostschreiben ab mit der Bemerkung, daß man
nicht so sehr den Verstorbenen betrauern müsse, "qui hac luce
caruerit, quam congratulandum ei, quod de tantis malis evaserit!"
Die Betrachtung beginnt mit der Aufzählung der Kaiser von

Constantius II über dessen Vetter und Nachfolger Julian, dann
Jovian, Valentinian I, Valens und Gratian bis Valentinian II[202];
hervorgehoben ist immer der frühe oder unerwartete oder gewalt-
same Tod der Herrscher, ganz zu schweigen, wie Hieronymus sagt,
vom Schicksal der Usurpatoren Procopius, Maximus und Eugenius.
Über den fingierten Einwand, dies sei eben das Schicksal der
Könige, kommt Hieronymus im folgenden Kapitel allgemein auf
die Hinfälligkeit des menschlichen Lebens zu sprechen ("fragi-
lem humanae condicionis narro statum"), die aus den aktuellen
Geschehnissen sichtbar wird:

> "horret animus temporum nostrorum ruinas pro-
> sequi: viginti et eo amplius anni sunt, quod
> inter Constantinopolim et Alpes Iulias cotti-
> die Romanus sanguis effunditur."

In der Tat ist es ein Schreckensgemälde, das Hieronymus ent-
wirft: Einer nach dem anderen stürzen die Kaiser, Herren nicht
über ihr eigenes Schicksal, wieviel weniger Retter des Reiches,
dessen Grenzen sie nicht verteidigen, ja nicht einmal halten
können. Hieronymus nennt sieben Völkerschaften[203], unter denen
die Römer (genauer gesagt sind es die Christen und ihre Kirche,
deren Unglück Hieronymus beklagt, und sein eigenes Kloster
ist durch den Hunneneinfall auch mit betroffen) zu leiden haben.
Nepotian wird glücklich gepriesen, der dies nicht sieht und
hört (Kap.17). Das römische Heer, Hieronymus kann es nicht
fassen, unterliegt den kaum Menschen zu nennenden Barbaren:

> "pro pudor et stolida usque ad incredulitatem
> mens! Romanus exercitus, victor orbis et domi-
> nus, ab his vincitur,hos pavet, qui ingredi
> non valent."

Der Exkurs klingt aus mit einer grandiosen Schau der menschlichen Vergänglichkeit gleichsam von himmlischen Regionen aus.
Die Welt bietet sich dar als immerwährender Wechsel von Freu-
de und Trauer, Geburt und Tod, Reichtum und Armut, und über
allem steht drohend die Vergänglichkeit. Überwältigt vom
Inhalt seiner eigenen Worte schließt Hieronymus:

> "vincitur sermo rei magnitudine et minus est
> omne, quod dicimus" (60,18)[204].

Wie kommt aber derselbe Mann, dem stadtrömische Politik gleich-

gültig war und der doch zwanzig Jahre lang über den Zerfall
des Reiches schwieg, plötzlich zu dieser Sicht der Dinge?
Nehmen wir zur Beurteilung eine andere Aussage, die Hieronymus drei Jahre später gemacht hat, dazu. Auch hier handelt es
sich wieder um ein Epitaphium, verfaßt auf Wunsch des Oceanus
zum Tod Fabiolas. Fabiola hatte sich gerade in Bethlehem
aufgehalten, als, wie Hieronymus schreibt (77,8), die Hunnen-
schwärme[205] einfielen und alles mit Mord und Schrecken er-
füllten. Die Klosterinsassen mußten an die Küste fliehen und
warteten dort neben bereitgehaltenen Schiffen, die sich glück-
licherweise als unnötig erwiesen. Doch der Überfall des wilden
Volkes hatte einen tiefen Eindruck hinterlassen: "avertat
Iesus ab orbe Romano tales ultra bestias" (77,8).
Als Hieronymus seinen Brief an Heliodor schrieb, lag der
Hunneneinfall, wie aus den Worten des Briefes hervorgeht, noch
kein Jahr zurück. Inzwischen sind drei weitere Jahre vergangen.
Vom Schrecken des damaligen Ereignisses ist nur ein relativ
schwacher Eindruck geblieben, nichts ist mehr von der pessimistischen Weltanschauung vorhanden, nur noch als Nachhall
der (begreifliche) Wunsch, Jesus möge das römische Reich von
weiteren solcher "Bestien" verschonen.
Dieser Befund läßt den Schluß zu, daß es das aktuelle Ereignis des Hunneneinfalls war, das bei Hieronymus die schmerz-
liche Betrachtung auslöste; am eigenen Leib gewissermaßen
hatte er erfahren, in welchem Zustand der orbis Romanus sich
befand, dies hatte ihn zu tiefsinnigen Überlegungen angeregt.
Sobald aber die konkrete Bedrohung vorüber war, schwand auch
Hieronymus' Neigung, sich grundsätzlich mit diesen Dingen aus-
einanderzusetzen.
Unsere Annahme wird gestützt durch die Tatsache, daß sich von
nun an in den hieronymianischen Schriften keine Zeugnisse einer
pessimistischen Betrachtung der Verhältnisse im orbis mehr
finden - bis zu der Zeit, als Rom unmittelbar bedroht ist.
Zwischen den Jahren 408 und 410 verfaßt Hieronymus seinen
Isaiaskommentar. Is.40.23, "principes quasi nihili et iudices
terrae velut inane fecit", regt Hieronymus zu folgenden

Gedanken an:

> "quantos reges et Graeca et barbara Romanaque
> narrat historia. ubi est Xerxis innumerabilis
> ille exercitus? ubi Israelitica in eremo mul-
> titudo? ubi regum incredibilis potentia? quid
> de veteribus loquar? praesentia exempla nos
> doceant, esse principes quasi nihili et iudices
> terrae quasi inane reputari."

Der Text liest sich wie eine zusammenfassende Reprise der
Ausführungen in ep.60. Auch dort war von der Schwachheit der
Könige die Rede, und das Kolossalgemälde von der Vergänglichkeit war angeregt worden von der Anekdote, daß Xerxes geweint
habe bei der Vorstellung, daß von seinem zahllosen Heer in
hundert Jahren nichts mehr vorhanden sein werde. So scheint
also Hieronymus durch eine vergleichbare Situation angeregt,
sich wiederum ähnliche Gedanken zu machen.

Um etwa die gleiche Zeit – es ist das Jahr 409 – schreibt
Hieronymus an Geruchia oder Ageruchia[206], um sie zu bewegen,
nach dem Tod ihres Mannes nicht mehr zu heiraten. Nach vielen
Ermahnungen, Warnungen und biblischen Argumenten unterbricht
Hieronymus plötzlich den Gedankengang, ähnlich wie in Nepotians Epitaphium, um auf die beklagenswerten Verhältnisse der
Gegenwart einzugehen, "praesentium miserarum pauca percurram".
Freilich verknüpft er seinen Exkurs locker mit dem Thema: Den
Worten der Untergangsprophezeiung Mt.24,19 "vae praegnanti-
bus et nutrientibus in illa die" fügt der überzeugte Mönch
hinzu: "quorum utrumque de fructibus nuptiarum est". Dann aber
zählt Hieronymus die verwüstenden Völkerschaften auf, klagt
über Zerstörungen von Städten und Provinzen[207], stellt resigniert fest, daß die gegenwärtige Generation schon lange nicht
mehr ersehnt, was sie nie kennengelernt hat: die Freiheit.

> "quis hoc crederet",

fährt er fort,

> "quae digno sermone historiae conprehenderent
> Romam in gremio suo non pro gloria sed pro
> salute pugnare, immo ne pugnare quidem, sed
> auro et cuncta superlectili vitam redimere?"

Alarich, der sich nach dem Tod Stilichos, mit dem er ein
Abkommen getroffen hatte, mit Honorius nicht einig wurde,

hatte Rom belagert, und die Stadt hatte sich loskaufen müssen.
Hieronymus gibt auch jetzt wieder Stilicho, dem "semibarbarus
proditor", die Schuld an den Verhältnissen, diesmal offener
als im Danielkommentar; postum kann er dies wagen. Hieronymus
vergleicht die jetzige Lage Roms mit früheren Niederlagen:
Alle früheren Sieger, von Brennus über Hannibal bis Pyrrhus,
mußten ihre Siege teuer bezahlen, ihre Völker wurden von den
Römern unterworfen und tributpflichtig gemacht. Jetzt aber,
"ut omnia prospero fine eveniant, praeter nostra, quae amisi-
mus, non habemus, quod victis hostibus auferamus". Es folgt
Hieronymus' berühmte Umwandlung des Lukanwortes "quid satis
est, si Roma parum est" in "quid salvum est, si Roma perit".
Obwohl nun Hieronymus wieder auf das Ziel seines Briefes
zurückkommt - er setzt an den Schluß seiner Ausführungen die
Worte "inter ista nuptura es?" - und so gewissermaßen einen
thematischen Rahmen anlegt, ist davon auszugehen, daß er
nicht nur zu dem Zweck, die Angeredete von einer Wiederhei-
rat[208] abzuhalten, den beklagenswerten Zustand der römischen
Welt vor Augen führt. Merklich leidet Hieronymus zu sehr unter
der Vorstellung vom drohenden Untergang Roms, um nur intellek-
tuell zu argumentieren. Daß er hier trotz seines Schmerzes vom
Thema nicht abweicht, ja die stürzende Welt ihm tatsächlich
noch ein Argument für seinen Kampf um die Jungfräulichkeit
in die Hand gibt, liegt an den gemeinsamen Berührungspunkten
der auf den ersten Blick so unterschiedlichen Dinge: Gott läßt
das Unglück über die Welt hereinbrechen zur Strafe für die
Sünden der Menschen, Askese aber ist eine Möglichkeit der
Menschen, aus freien Stücken die Sünde zu überwinden und zur
Vollkommenheit zu gelangen. Doch davon im Teil II der Arbeit.
Obwohl nun Hieronymus das Schreckliche schon voraussehen
konnte und mußte, ist seine Bestürzung darum nicht geringer[209],
als Rom tatsächlich fällt. Alarich erobert, um endlich gegen
Honorius seine Ansprüche durchzusetzen[210], die Stadt im selben
Jahr 41o, in dem Hieronymus gerade seinen Ezechielkommentar
beginnt, und so findet das Ereignis seinen Niederschlag im
Prolog:

> "mihi subito mors Pammachii atque Marcellae,
> Romanae urbis obsidio multorumque fratrum
> et sororum dormitio nuntiata est. atque ita
> consternatus obstupui, ut nihil aliud diebus
> ac noctibus nisi de salute omnium cogitarem".

In erster Linie ist es das Schicksal der Freunde, das Hiero-
nymus tief bewegt, so daß all seine Aktivität erstarrt[211].
Doch dann ist es der Fall Roms, der Hieronymus erschütternde
Worte finden läßt, Worte, die zeigen, daß für den Mönch von
Bethlehem nun eine Welt zusammengebrochen ist:

> "postquam vero clarissimum lumen extinctum
> est, immo Romani imperii truncatum caput
> et, ut verius dicam, in una urbe totus
> orbis interiit."

Um seinen Gefühlen angesichts des Furchtbaren Ausdruck zu verleihen, kleidet er sie in die Worte des Klage- und Bußpsalms
38: "obmutui et humiliatus sum et silui a bonis...".
Im Vorwort zum 3. Buch des Ezechielkommentars - kein Jahr
später, denn nach Vollendung dieses Buches im Jahr 411 muß er
seine Arbeit wieder unterbrechen wegen Barbareneinfällen[212] -
nimmt Hieronymus seine Klage über den Fall Roms wieder auf,
wird er doch täglich durch das Leid der Flüchtlinge an diese
Katastrophe erinnert:

> "quis crederet, ut totius orbis exstructa
> victoriis Roma corrueret, ut ipsa suis
> populis et mater fieret et sepulchrum, ut
> tota Orientis, Aegypti, Africae litora olim
> dominatricis urbis servorum et ancillarum
> numero complerentur, ut cottidie sancta
> Bethlehem nobiles quondam utriusque sexus
> atque omnibus divitiis affluentes susci-
> peret mendicantes?" (in Ezech.lib.3
> praef.p.91)

Immer noch ist die Klage konkret bezogen, Ausdruck eines aktuellen Schmerzes, nichts ist reflektiert, nichts geglättet.
Hieronymus leidet, aber er bemüht sich nicht, dieses Leid in
einen Sinnzusammenhang zu stellen. Im selben Jahr schreibt er
an Marcellinus und Anapsychia[213] nach Afrika, berichtet von
den Barbarenstürmen, die ihn wieder zur Unterbrechung seiner
Arbeit am Propheten Ezechiel gezwungen hätten und kommt dabei
auch auf die Zerstörung Roms zu sprechen. Noch immer ist seine

Diktion etwas dramatisch, doch im ganzen ruhiger und knapper:

> "Ezechielis volumen olim adgredi volui et
> sponsionem creberrimam studiosis lectoribus
> reddere, sed in ipso dictandi exordio ita
> animus meus occidentalium provinciarum et
> maxime urbis Romae vastatione" -

Hieronymus kann immerhin jetzt schon sehen, daß die Barbareneinfälle nicht nur Rom getroffen haben -

> "confusus est, ut iuxta vulgare proverbium
> proprium quoque ignorarem vocabulum diuque
> tacui sciens tempus esse lacrimarum."

Sehr viel stilisierter, sehr viel rhetorischer ist dann
wieder die Schilderung, die Hieronymus von der Einnahme der
Stadt Rom in ep.127 gibt, dem Epitaphium der Marcella[214]. Es
ist unseres Wissens das letzte Schriftdenkmal, das Hieronymus
einem ihm einst vertrauten und befreundeten Menschen widmet.
Aus den anderen Epitaphien wissen wir bereits, daß gerade
bei dieser Gelegenheit eines feierlichen Nachrufs Hieronymus
mit Vorliebe pathetisch und deklamatorisch schreibt. So kann
es uns nicht verwundern, wenn nach einer Phase der Beruhigung
im Jahr 413 noch einmal ergreifende Worte über jenes Schrek-
kensereignis fallen, zumal ja Marcella in Rom inmitten der
Verwüstung gestorben ist. Daß Hieronymus also jetzt ein
"apokalyptisches Gemälde" (ZWIERLEIN) zeichnet, heißt nicht,
daß sein Schmerz etwa noch einmal verstärkt aufgelebt wäre.
Dies lehrt ein Vergleich dieses ausgefeilten "Essays" mit
der ersten spontanen Reaktion im Ezechielvorwort:

in Ezech.praef.p.3	ep.127,12
"mihi subito mors Pammachii atque Marcellae, Romanae urbis obsidio multorumque fratrum et sororum dormitio nuntiata est.	dum haec aguntur in Iebus, terribilis de occidente rumor adfertur obsideri Romam et auro salutem civium redimi spoliatosque rursum circumdari, ut post substantiam vitam quoque amitterent.
atque ita consternatus obstupui ut nihil aliud diebus et noctis nisi de salute omnium cogitarem...	haeret vox et singultus intercipiunt verba dictantis.

postquam vero cla- rissimum terrarum omnium lumen extinc- tum est, immo Romani imperii truncatum ca- put et ut verius di- cam, in una urbe to- tus orbis interiit."	capitur urbs, quae totum cepit orbem, immo fame perit ante quam gladio, et vix pauci, qui caperentur, inventi sunt."

Sicher, auch Hieronymus' erster Gefühlsausbruch ist nicht
kunstlos in Worte gefaßt, doch die Schlichtheit der Feststellung in der ersten Spalte wird gegenüber dem gehobenen, fast
poetischen Stil des Briefes sofort deutlich, wo es um die
Tatsache der Meldung des Unglücks geht. Zudem hat Hieronymus
im Epitaphium nochmals den Loskauf Roms von 409 eingearbeitet,
um eine dramatische Steigerung zu erreichen: Die Ausgeplün-
derten sollen dann auch noch ihr Leben verlieren. Der Eindruck,
den die Unheilsbotschaft auf Hieronymus gemacht hat, ist ern-
ster und menschlicher im Vorwort zum Kommentar dargestellt:
Wir können verstehen, daß Hieronymus sich wie betäubt fühlt
und Tag und Nacht nur noch an das Unglück denken kann. In der
Trostschrift dagegen eine fast unpersönlich wirkende, auf
äußeren Eindruck bedachte Szene: der seufzend Diktierende, dem
immer wieder die Stimme stockt.

Dann die Beschreibung des Falls der Stadt selbst: In der
ersten Fassung auch bereits stilistisch gewandt, aber nicht
auf Effekte angelegt; man spürt die Echtheit der Emotionen,
das Bild vom verlöschenden Licht, vom Untergang der Welt
bewegt. In der Wiederaufnahme dann eine gelungene Formel[215]:
"capitur urbs, quae totum cepit orbem", die Ausgangspunkt
ist für die Schilderung von Kannibalismus in der belagerten
Stadt, Ausdruck der unvorstellbaren Zustände im fallenden
Rom[216].

Hieronymus' Schmerz über den Untergang seines Rom ist mit
Sicherheit im Jahr 412 nicht überwunden, so daß er noch einmal ergreifende Worte findet, um das Unfaßbare auszudrücken[217],
doch den echten Ausdruck der Erschütterung gibt der Brief nicht
mehr wieder. Der Stil ist vielmehr bestimmt vom Genus dieser
Schrift.

Hieronymus' Reaktion auf den Fall Roms, seine tiefe Erschütterung, ist in der Gesamtbetrachtung seines Verhältnisses
zu Rom nun ganz begreiflich. Aufgezogen mit der Milch des
römischen Patriotismus, um Hieronymus' eigenen Ausspruch abzu-
wandeln, geprägt von Roms Tradition und großer Vergangenheit
und angefüllt mit deren Bildungsinhalten, die er nicht aus
seinem christlichen Herzen zu reißen vermag, verbunden schließlich mit der Stadt sein ganzes Leben hindurch, war Hieronymus
dem realen Rom ebenso zugetan wie dem Idol, das er in sich
trug[218]. Nun fällt mit den buchstäblichen Steinen der Stadt
auch das imaginäre Romgebäude in sich zusammen, der orbis
Romanus, der Boden, auf dem der Römer Hieronymus auch als
Christ steht, wankt unter seinen Füßen. Das Römertum selbst
kann zum Begreifen dieser Katastrophe nicht mehr helfen.
Wir haben nun in diesem Kapitel vor allem die Klage registriert, die menschliche, die römische Seite des Problems
gewissermaßen. Die Reaktionen des Christen Hieronymus sollen
in Teil II dieser Arbeit behandelt werden, da sie mehr theologischer Natur sind und sich so mit der Exegese berühren[219].

TEIL II

ROM UND DIE RÖMER IN DER EXEGESE DES HIERONYMUS

1. Die Strafgerichtsthese: Rom und
das jüdische Volk

Das erste, was mir bei der Überprüfung der Romnennungen in
Hieronymus' exegetischen Schriften auffiel, war deren häufi-
ges Vorkommen im Zusammenhang mit Ausführungen zur Eroberung
Judäas und speziell Jerusalems durch die Römer; genannt waren
die Feldzüge Vespasians und seines Sohnes Titus sowie die
endgültige Zerstörung durch Hadrian. Das erste Eingreifen der
Römer in Palästina durch Pompeius[1] ist nur am Rande erwähnt.
Da sehr oft dabei auch der Gedanke ausgesprochen ist, daß
in den römischen Eroberungen eine Strafmaßnahme Gottes -
eben durch die Hand der Römer - zu sehen ist, möchte ich den
ganzen Komplex, zu dem ich im folgenden die Belege gebe, einmal der Einfachheit halber als Strafgerichtsthese bezeichnen.
Ebenfalls soll alles, was in einen systematischen Zusammenhang
mit dieser These gebracht werden kann, in diesem Abschnitt
mit abgehandelt werden.
Zum ersten Mal taucht der angesprochene Gedanke im Kommentar
zum Galaterbrief auf[2], interessanterweise zwar nur in einem
Nebensatz[3], dafür aber in einer Entschiedenheit wie später
durchaus nicht immer (in Gal.6,1o p.462B): "Titus, filius
Vespasiani, qui in ultionem domini sanguinis, subversis Iero-
solymis, Romam victor ingressus est, ...". Fast alle wichtigen
Gesichtspunkte der angesprochenen These sind in diesem Zitat
bereits enthalten, nämlich: Zerstörung Jerusalems, der Sieger
ist Römer, das Geschehen war ein Strafakt dafür, daß Jesus
Christus dort getötet wurde.
Im zeitlich kurz danach anzusetzenden Kommentar zum Ekklesi-
asten finden sich zwei Stellen, die auf die römische Gefangenschaft der Juden verweisen: in eccles.3,2 p.273 und 12,1
p.349-35o. Beide sind aus verschiedenen Gründen bemerkenswert.
Im ersten Fall deutet Hieronymus das in völlig unhistorischem

Zusammenhang stehende "tempus tacendi et tempus loquendi" im
Hinblick auf die Geschichte Israels: "tempus tacendi prophetas
nunc in captivitate Romana, et tempus loquendi eos tunc, quando
etiam in hostili terra consolatione et alloquio non carebant"[4].
Um die Aussage des Predigers für seine Absicht zu nutzen, muß
er zudem die Abfolge von tacendi-loquendi umkehren, damit sie
mit der zeitlichen Reihenfolge babylonische Gefangenschaft
- römische Gefangenschaft übereinstimmt. Deutlich tritt auch
hervor, daß die römische Gefangenschaft viel schlimmer zu
bewerten ist, ja eigentlich schon eine andere Qualität hat:
jetzt schweigen die Propheten.
Zur anderen Stelle, die ebenfalls nur eine allgemeine (hier
noch religiös bezogene) Lebensregel enthält, vermerkt Hieronymus selbst, daß die Interpretationen zahlreich seien. Er
gibt an, daß die Hebräer sie auf die babylonische oder römische Gefangenschaft beziehen - und lehnt diese Deutung, nachdem er sie ausführlich wiedergegeben hat, ab mit den Worten:
"nos autem..." (p.351); es folgt eine Interpretation nach dem
Wortsinn, der den einen Pol seiner Auslegung[5] bildet. Hat
möglicherweise die Ausdeutung hier für Hieronymus' Vorstellungen nicht genug hergegeben? Im ersten Fall war immerhin das
Besondere der römischen Gefangenschaft angesprochen; hier kann
sie nicht mehr weiter detailliert werden (Element der Rache
etc.).
In den Psalmenauslegungen (Tractatus in psalmos) steht alle
Erwähnungen von Rom oder Römern in Zusammenhang mit der Eroberung Jerusalems: Der verspottete Elisäus, der durch zwei
Bären[6] 42 Knaben töten läßt, ist ihm Vorbild Christi (Psalm
84 p.1o3): "iubet exire duos ursos, hoc est Vespasianum et
Titum et interfecerunt quadraginta duos pueros", da zwischen
der Auferstehung Christi und der Zerstörung Jerusalems 42
Jahre lägen[7]. Wieder einmal legt aber der Text nicht gerade
nahe, sich an dieser Stelle im Sinn der Strafgerichtsthese
zu äußern.
Psalm 1o8,11 p.214-215 sind die Worte "alieni diripiant
labores eius" auf die Juden gedeutet, "quia vastati sunt a

Romanis" (oder aber wahlweise speziell auf Judas).

Mit dem Hinweis, daß die Juden den Römern untertan seien, lehnt Hieronymus deren Deutung des Psalms 88,1 ab (p.4o4-4o5), es werde ihnen niemals ein König aus dem Hause David fehlen: "sed si vere putant, quomodo eos Romanae potestatis subditos videmus et servire iussionibus imperatorum?" Argument sind also die tatsächlichen politischen Verhältnisse, der Schuldgedanke fehlt.

Außerdem werden ohne die Nennung Roms die Diaspora[8] der Juden und die Zerstörung Jerusalems erwähnt Psalm 1o8,1o p.214 und Psalm 1o8,11 p.215; beide Male aber mit Hinweis auf die Ursache, nämlich die Kreuzigung Christi.

Danach ist die Strafgerichtsthese verarbeitet in den Kommentaren zu den Propheten Michäus (Micha), Sophonias (Zephania) und Habakuk.

Besonders in der Auslegung des Propheten Micha ist die Gefangenschaft als Vergeltung für die Schuld der Juden am Tod Christi hervorgehoben, z.B. im Anschluß an die Stelle "usque ad praesentem diem subditi sunt Romano imperio et premuntur captivitatis iugo et colla non elevant" (2,1-5 p.44o; die lange Dauer der Fremdherrschaft ist betont), wenn es heißt (p.441): "sicut enim mala operati sunt contra Dominum Iesum, sic mala captivitatis perpetua sustinebunt" (hier ist zum ersten Mal die Endgültigkeit der Unterwerfung angesprochen). Ferner zur selben Stelle p.442: "secundam (scil. captivitatem) a Romanis, quia Dominum crucifixerunt", und 2,9-1o p.447 "captivitate... Romana, eo quod Domini sanguinem hauserint". An beiden Stellen ist die babylonische Gefangenschaft in die Deutung mit einbezogen, einmal mit "et-et" parallel gestellt, einmal als Alternative angeboten mit "vel-vel". Auch in 2, 11-13 p.451 kann die Bedrohung Israels wahlweise von den Babyloniern oder Römern ausgehen, und entsprechend werden 3, 1-4 p.457 dem dies captivitatis entweder Nabuchodonosor oder Vespasian und Titus als Sieger beigegeben. 3,9-12 p.462 rekurriert auf die römische Eroberung ohne deren ausdrückliche Nennung, aber die Gesichtspunkte der endgültigen Gefangenschaft und

der Schuld am Tod des Herrn sind zu registrieren: "haec contra
populum Iudaeorum cuius vera captivitas et extremae ruinae...
propter effusionem Dominici sanguinis irrogata sunt".
2,1-5 p.441 steht, daß "Romano mensore" das einst den Stämmen
Israels verheißene und zugesprochene Land aufgeteilt worden
sei, und "nullus est ex Iudaeis, qui antiquum pristina liberta-
te possideat solum", mit der Ausdeutung im Kontext, daß sie
Böses erleiden müßten für das Böse, das sie Jesus angetan
hätten.

Daß die Juden immer noch die Ankunft des Messias erwarten,
erklärt Hieronymus 4,11-13 p.478: "...et dicunt universas
nationes Iudaico populo servituras, ipsumque imperium Romanorum, quod sub nomine interpretantur Edom..."; diese umgekehrte Strafgerichtsthese, wie ich sie der Einfachheit halber
nennen möchte, wird uns noch öfter begegnen. Hieronymus tut
sie hier kurz ab: "quod quam stultum sit, ex omnibus scrip-
turis facile comprobatur."

Während bei Micha bei den Ausdeutungen auf die römische
Gefangenschaft die Schuldthese vorherrschte, ist nun bei
Sophonias kaum davon die Rede. Expressis verbis ist sie nur
zu finden in 1,17-18 p.675: "non est difficile iuxta priorem
sensum haec fuisse perpessam dicere Hierusalem quae propter
crucem Domini sustinuit...et haec passi sunt, quia Domino,
id est Dei filio, peccaverunt. nam post quadraginta et duos
annos dominicae crucis circumdata est ab exercitu Hierusalem
et consummatio illius facta est...". Hier fehlt aber das
Stichwort Rom oder die Nennung seiner Feldherren. Andeutungs-
weise haben wir die Strafgerichtstheorie in 1,1o p.667 ("propter peccata nimia"; vgl. auch den Hinweis auf die zwei Bären
Vespasian und Titus sowie den Ausdruck der "perfecta eversio").
Die traurigen Auswirkungen der römischen Eroberung noch auf
die Gegenwart schildert Hieronymus 1,15-16 p.673; die strahlen-
den Symbole des Christentums stehen dabei in Gegensatz zu den
Tempelruinen. Alle anderen Stellen beziehen sich immer ohne
besonderen Nachdruck sowohl auf die babylonische als auch auf
die römische Gefangenschaft (1,12 p.669; 2,3-4 p.679).

In 2,8-11 p.684 sind Unterwerfungen der Juden durch mehrere
Völker aufgezählt, und Rom wird nur als letzter in einer Reihe
von Eroberern genannt.
Bei der Erklärung Habakuks, wo wir nur einen Beleg zum Thema
finden (2,12-14 p.608-609), vertritt Hieronymus nicht ausdrücklich die These des Strafgerichts, sondern ausgemalt sind
die Begleitumstände der Belagerung unter Vespasian und Titus
sowie unter Hadrian[9]. Auch Alternativdeutungen werden angeboten, die übliche auf Babylon und die Deutung auf die Endzeit,
die sich Hieronymus auch öfter zu eigen macht.
Weitere zwei der kleinen Propheten kommentiert Hieronymus
3 Jahre später, Jona(s) und Abdias (Obadja) (vgl. in Ion.
praef. p.377); nur bei Jonas ist die Strafgerichtsthese an-,
aber nicht ausgedeutet (4,8 p.417): "sunt qui vermem et urentem
ventum Romanos intellegant duces, qui post resurrectionem
Christi Israel penitus deleverunt". Offensichtlich liegt Hieronymus hier nicht viel an dieser Deutung.
In Abd.1 p.355 haben wir wieder die umgekehrte Strafgerichtsthese vorliegen: Hieronymus erwähnt, die vorliegende Prophezeiung sei gegen Rom und seine Herrschaft gerichtet gedacht.
Auch eine Parallelstelle aus Isaias führt er an (sie wird
gleich noch zu behandeln sein). Was er davon hält, zeigt er
in den Eingangsworten: "Iudaei frustra somniant...".
Etwa 9 Jahre vor seinem Gesamtkommentar zu Isaias ("plures
anni sunt", in Is.lib.5 praef. p.159) widmet Hieronymus dem
sonst nicht weiter bekannten gallischen Bischof Amabilis[10]
seine Erklärung zu den zehn Visionen des Isaias. Auffallend
ist, daß der Exeget hier auf die Strafgerichtsthese gar nicht
eingeht, ja beinahe auch alle Anspielungen auf die römische
Eroberung Jerusalems überhaupt mit Vorsicht behandelt. Weder
in Is.17,1-3 p.184 ("alii aestimant de Romana captivitate prae-
dici") noch 19,4 p.193-194 besteht er auf der rombezogenen
Deutung. Im letzteren Fall, wo für die Deutung wieder die
Zeit der babylonischen Gefangenschaft neben der der römischen
zur Auswahl steht, bringt Hieronymus sogar Argumente für beide
Auslegungen. Geradezu abgelehnt sind die Deutungen auf Rom in

22,2 p.21o: "nos autem possumus et de Babylonia captivitate
dicere, quamquam Eusebius omnia ad Christi adventum referat et
putet Vespasiani Titique temporibus fuisse completa" (hier
wird nicht einmal Eusebius bedingungslos übernommen), und
stärker noch in 22,6 p.212: "non potest referri ad tempora
Romanae subversionis, nisi forte cuncta allegorice interpre-
temur". In 18,1 p.189 nennt Hieronymus auch einen guten Grund
dafür, daß an der bezeichneten Stelle nicht das römische Reich
und die Eroberer von Jerusalem, Vespasian und Titus, gesehen
werden dürfen: "...hoc fidei nostrae non convenit, ut minetur
Dominus regno Romano". Die genannten "quidam", die hier negativ
für Rom auslegen, könnten Juden sein; bei GINZBERG findet sich
dazu allerdings kein Beleg.
Auch die jüdische These vom göttlichen Strafgericht an den
Römern wird angeführt und natürlich abgelehnt, anläßlich der
schon bei Abdias erwähnten Stelle Is.21,11-12 (p.2o7); dort
sagt Hieronymus, daß einige Hebräer, "quidam Hebraeorum", in
Duma "Roma" lesen wollen, "frivola persuasione", in der sie
immer glaubten, unter Idumäa sei Rom zu verstehen[11].
Auf ganz anderes Gebiet begibt sich Hieronymus mit der Auslegung des Matthäusevangeliums[12]; sollten hier Aussagen zum göttlichen Strafgericht über Jerusalem, bewerkstelligt durch die
Römer, zu finden sein, müßten sie im Zusammenhang mit prophetischen und gleichnishaften Reden stehen. Und dies ist
durchaus der Fall. Zum Himmelreichgleichnis wird 22,7 p.2oo-2o1
erklärt, es seien Engel angesprochen, "seu Romanos intellega-
mus sub duce Vespasiano et Tito, qui occisis Iudaeae populis
praevaricatricem succederint civitatem". Hier sind nun wieder
härtere Worte gewählt als vorher in den Isaiaskapiteln[13]. In
den Weissagungen vom Weltende (24,19.23.25) will Hieronymus
aber nicht unbedingt eine Anspielung auf die römische Gefangenschaft sehen. Auch fehlt hier jede sonstige Ausdeutung im Sinne
einer Antithese "jüdische Schuld - Römer als Träger der Rache".
Reizvoller ist der Kommentar hinsichtlich eines anderen Problems, das sich gut im vorliegenden Zusammenhang behandeln
läßt: Wie hat Hieronymus, der sich die These von der Schuld

der Juden am Tod Christi an etlichen Stellen zu eigen macht,
die Rolle der Römer in der Leidensgeschichte gesehen?
Bevor ich diese Stellen vorlege, möchte ich noch einmal zurück-
kommen auf den Propheten Micha (5,1 p.48o). Die Worte "in virga
et calamo" legen für den Christen offensichtlich eine Deutung
auf die Geißelung Christi nahe[14]: "an non contumelia Trinita-
tis est, quando in virga et calamo, te faciente" (angeredet ist
die "Tochter Sion") "percussere Romani caput iudicis Israel...".
Daß römische Soldaten die Geißelung durchführten, läßt sich
nicht leugnen. Aber nicht etwa der Römer Pontius Pilatus ist
der Initiator, sondern Israel! Aber sehen wir uns daraufhin
den Matthäuskommentar an:
27,11(p.265)[15]: Pilato nihil aliud criminis interrogante nisi
utrum rex Iudaeorum sit, arguuntur impietatis Iudaei quod ne
falso quidem invenire potuerint, quod obicerent salvatori".
Pilatus stellt nur eine gewissermaßen harmlose Frage, die Juden
aber schrecken vor der Beschuldigung der Gottlosigkeit nicht
zurück. Weiter hebt Hieronymus hervor, daß Jesus Pilatus "aliqua ex parte" geantwortet habe, "sacerdotibus autem et principibus respondere noluerit indignos suo sermone iudicans". In
27,13 p.265 weiß Hieronymus, da nun Jesus auch Pilatus gegenüber schweigt, wiederum eine Erklärung, die noch zu Pilatus'
Gunsten ausgelegt werden kann: "ne crimen diluens dimitteretur
a praeside et crucis utilitas differretur".
An derselben Stelle heißt es kurz vorher: "ethnicus quidem
est, qui condemnat Iesum, sed causam refert in populum Iudaeorum...". Im selben Sinn muß auch 27,16(p.265) verstanden
werden: "igitur causa crucis manifeste invidia est"[16].
Abgesehen von 27,19 p.266, das nicht unbedingt genau zu den
Rechtfertigungsversuchen des Kontextes paßt[17], ist die Interpretation der folgenden Verse immer auch in dem Bemühen vorgenommen, Pilatus möglichst aus der Schuldfrage herauszunehmen:
27,22-23(p.266) "multas liberandi salvatoris Pilatus occasiones
dedit", vom Angebot, Jesus statt des Räubers freizulassen über
das Zögern angesichts der jüdischen Kreuzigungsforderung (quid
igitur faciam") bis hin zur abschließenden Feststellung: "quid

enim mali fecit?" "hoc dicendo", so Hieronymus, "Pilatus ab-
solvit Iesum". 27,24 p.266 ist anläßlich der Händewaschung ausgeführt, daß Pilatus den unschuldigen Jesus hätte freilassen
wollen, daß er aber aus politischen Gründen nicht anders handeln konnte. Hieronymus läßt Pilatus die Worte sprechen " 'vos'
inquit 'videritis', ego minister sum legum, vestra vox sanguinem fundit". Die Haltung der Vertreter des Römertums faßt
Hieronymus noch einmal 27,26 p.267 zusammen: Pilatus' Frau
spricht Jesus frei, er selbst nennt ihn gerecht, der Zenturio
schließlich bekennt, daß er wahrhaft Gottes Sohn gewesen sei.
Nur einem letzten Einwand muß er noch begegnen, warum nämlich
Jesus von Pilatus zur Geißelung übergeben worden sei, da er
ihn doch für unschuldig gehalten habe (p.268): "sed sciendum
Romanis eum legibus[18] ministrasse quibus sancitum est ut qui
crucifigitur prius flagellis verberetur"[19].
Es ist leicht zu erkennen, daß Hieronymus die schon vorhan-
dene Tendenz des Matthäuskommentars, die Römer möglichst zu
schonen[20], sich an allen gegebenen Stellen für den gleichen
Zweck zunutze macht, die Entlastungszeugnisse verstärkt her-
vorhebt und neue Entschuldigungsgründe bringt; die Konsequenz
dieses Vorgehens ist aber, daß er die Schuld an Jesu Verurteilung und Tod den Juden aufbürdet, und zwar sehr massiv.
Diese Tatsache wird im übergeordneten Zusammenhang noch zu
interpretieren sein. Doch zurück zu den Propheten.
Die restlichen Kommentare zu den sogenannten kleinen Propheten, zu Zacharias (Sacharja), Malachias (Maleachi), Oseas
(Hosea), Joel und Amos (in dieser Reihenfolge) beginnt und
beendet er im Jahr 4o6.
In Mal.1,2-5 p.9o5 wendet sich Hieronymus wie schon vorher
gegen die These einer jüdischen Weltherrschaft: "Iudaei falso
sibi blandiuntur Edom Romanos et Israel in consummatione
mundi se prophetari quod destructo Romano imperio, hoc est
Idumaeo, regnum orbis veniat ad Iudaeos". Deutungen auf eine
Bestrafung der Juden sind nicht vorhanden.
Die Strafgerichtsthese ist fast überall in der Interpretation
der Zacharias-Prophezeiungen herausgestellt, wo Hieronymus

überhaupt Rom oder die Römer erwähnt, so in Zach.11,1-2 p.849,
wo es heißt, daß der von Herodes erbaute Tempel durch die römische Bestürmung zerstört worden sei, in Zach.11,4-5 p.851,
wo das Hirtengleichnis im Sinn der Römer gedeutet wird, die
Schafe und Vieh (=Juden) töten. Auf dasselbe Kapitel, Vers 6-7
beziehen sich die Aussagen Z.152 "quando Hierusalem Romanus
cinget exercitus" (auf das Leiden des Herrn ist angespielt),
"...haud dubium quin Romani omnem terram et universas urbes
destruxerint Iudaeorum" (Z.157) und "...quod aeterna sit apud
Romanos tua futura captivitas" (Z.162). Zum ersten Mal wird
die römische Gefangenschaft ausdrücklich als ewig deklariert.
Die Schuld- oder Strafgerichtsthese ist somit indirekt vertreten. Ohne Strafgerichtsthese werden in 8, 18-19 p.82o die
babylonische und die römische Eroberung parallel gesetzt;
dabei ist auf die jeweilige Zerstörung des Tempels angespielt.
Die Tempelzerstörung unter Vespasian und Titus soll auch in
den Prophetenworten 11,1-2 p.848 gemeint sein: Der Libanon
öffnet seine Pforten, damit das römische Heer ins Land gelangen kann (p.849). Zwei andere Stellen zitieren wieder die
umgekehrte Strafgerichtsthese, also die jüdische Auslegung
der Drohworte gegen die Fremdvölker bzw. der Trostworte für
Jerusalem und das jüdische Volk. In 12,1-3 p.861 leugnet
Hieronymus die Teilerfüllung einer für Jerusalem günstigen
Prophezeiung in der Zeit zwischen Zorobabel und der ersten
römischen Eroberung unter Pompeius und bekennt sich, ausdrücklich als Christ, zu einer Erfüllung.in der Kiche. Auch
an eine Bestrafung der Römer (weil sie gegen Jerusalem kämpf-
ten) kann natürlich nicht gedacht werden, 14,12 p.889. Im
folgenden will daher Hieronymus die Drohungen als gegen die
Christenverfolger unter den römischen Kaisern gerichtet verstanden wissen (Z.476ff.)[21].
In Os.1,6-7 p.13-14 stellt Hieronymus bei der Auslegung des
Namens, den der Prophet seinem zweiten Kind mit der Dirne
gibt, fest: "...eos, qui propter sanguinem seminis dei
vocantur 'absque misericordia' hucusque servire Romanis."
Auch hier ist also wieder die Schuld der Juden am Tod des

Gottessohnes und deren Bestrafung durch die Römer vertreten.
An der anderen in Frage kommenden Stelle (in Os.1o, 7-8 p.111-
112) ist nur die Einnahme Jerusalems durch die Römer ohne
Schuld- und Strafegedanke ausgesprochen, noch dazu in Konkurrenz
zur Deutung auf das Letzte Gericht.
Im Amoskommentar bezieht Hieronymus die Drohworte des Propheten jeweils auf die römischen Eroberungen in 3,4 p.3o7;
3,8 p.327; 3,8 p.331. Unser Stichwort taucht (als Adjektiv)
nur an der ersten Stelle auf, beim letzten Zitat werden Vespasian und Titus als Sieger genannt, die Festlichkeiten in Trauer verwandeln, das Schuldprinzip ist an den beiden erstgenannten Stellen festgehalten.
Bei Joel liegt der Fall komplizierter. Nur einmal wird überhaupt die römische Gefangenschaft angesprochen (3,1-6 p.2oo).
Im übrigen muß sich aber Hieronymus hier, entsprechend den
Prophetenworten, mit der umgekehrten Strafgerichtstheorie
auseinandersetzen, und zwar in 3,7 p.2o2, wo er die jüdische
Auslegung zitiert: "...ipsum deum suis manibus Romanorum
filios et filias asserunt traditurum ut vendant eos Iudaei".
Diese Deutung wird hier nicht ausdrücklich abgelehnt, dafür
aber im folgenden chiliastische Vorstellungen. Seltsam ist
auch, daß Hieronymus unmittelbar vorher zu 3,1-6 (p.2oo-2o1)
die jüdische Deutung der Drohworte auf Tyrus zurückweist
und anführt, es müßten die Römer gemeint sein, da doch, in
Übereinstimmung mit den Worten von V.5, von Vespasian und
Titus der Tempelschatz[22] in die Heiligtümer Roms überführt
worden sei.
Voller Empörung aber zeigt sich Hieronymus wieder, wie schon
an zwei anderen erwähnten Stellen[23], über die Gleichsetzung
von Edom (Idumäa) mit Rom, eine beliebte Interpretation
jüdischer Exegeten (3,19 p.2o8). "Iudaei gravissimo somnio
dormiunt", schimpft er, "...spe vanissima confingentes",
doch er argumentiert auch ganz vernünftig: warum sollen von
allen Nationen nur zwei, nämlich Ägypter und Römer bestraft
werden bzw. warum soll man unter den Idumäern ausgerechnet
die Römer verstehen und nicht ein anderes der Völker, die die

Juden in der Vergangenheit unterdrückt haben?
Im Danielkommentar spielt die Strafgerichtsthese so gut wie
keine Rolle. Nur einmal sind ihre Elemente überhaupt genannt,
in Dan.9,24 p.887, zur Erklärung der 7o Jahrwochen[24]: Der Tod
Christi ist in Verbindung gebracht mit der Zerstreuung des
jüdischen Volkes durch die Römer, doch von Schuld und Strafe
ist nicht ausdrücklich die Rede; allerdings ist das Andauern
der Zerstreuung bis zum Weltende betont:

> "et quid dico de Christo occidendo et populo
> penitus deserendo auxilio dei, cum et civi-
> tatem et sanctuarium dissipaturus sit popu-
> lus Romanus cum duce venturo Vespasiano, quo
> mortuo, transactis septem hebdomadis id est
> annis quadraginta novem, Aelius Hadrianus
> - a quo postea de ruinis Hierusalem urbs
> Aelia condita est - rebellantes Iudaeos
> Tinio Rufio magistro exercitus pugnante
> et tunc defecit hostia et sacrificium - et
> 'usque ad consummationem mundi et finem
> perseverabit desolatio'?"

In Dan.13,61b-62a findet sich einmal die Deutung, der Text
beziehe sich darauf, daß die Juden den Erlöser getötet hätten
(mit der Einschränkung, sie hätten ihn eigentlich nur zur
Tötung ausgeliefert), aber lediglich als allegorische Alter-
nativauslegung zum wörtlichen Verständnis der Stelle, die
sich auf die falschen Ankläger der Susanna bezieht, und ohne
besonderen Nachdruck.
Dieser negative Befund rührt natürlich vor allem daher, daß
durch den Text andere Schwerpunkte gegeben sind. Neben der
Vier-Reiche-Lehre[25] ist dies die Darstellung der Widerlegung
des Porphyrius; auch jetzt noch, 25o Jahre nach der Polemik
des gelehrten Heiden, kann ein Kommentar zu Daniel nicht
geschrieben werden, ohne auf die von ihm aufgeworfene Proble-
matik einzugehen[26].
Hieronymus' umfangreichster Kommentar gilt dem Propheten
Isaias (dessen 1o Visionen er ja schon früher ausgelegt und
später dem großen Werk eingegliedert hat). Entsprechend sind
auch die Erwähnungen der captivitas Romana sehr zahlreich[27].

Buch I

Gleich in Is.1,6 p.12 bezieht Hieronymus den Satz "non est in
eo sanitas" auf die letzte römische Eroberung unter Hadrian
("ad extremam...captivitatem...et ultimam eversionem Hierusalem"), die immer noch fortdauere. Bemerkenswert ist, daß er den
Bezug zur babylonischen Gefangenschaft nicht nur affirmativ,
sondern argumentativ ausgeschlossen hat. Einen Vers weiter, 1,7
(p.13) räumt er ein, daß der Drohspruch hier "ex parte" die
babylonische Gefangenschaft betreffe, richtiger aber erst die
römische Gefangenschaft beschreibe; er vergißt nicht hinzuzufügen: "et usque ad finem mundi perseverabit vastitas Iudaeorum".
Zu Vers 9 p.14 heißt es wiederum, nicht auf die babylonische
Gefangenschaft dürfe man hier Bezug nehmen, sondern "ad ultimam
Romanorum", ebenso 1,12 (p.17): "ergo ultimam sub Vespasiano et
Tito destructionem templi[28] indicat, quae usque ad consummationem mundi perseveratura est." In Is. 1,19-2o p.2o ist dann auch
das menschenverschlingende Schwert ganz selbstverständlich mit
dem exercitus Romanus gleichgesetzt.

In der Ausdeutung von 2,5-6 p.31 konkurrieren wieder verschiedene Exegeten: "aliter atque aliter edisserunt" merkt Hieronymus an. Tatsächlich sind aber wieder nur die babylonische und
römische Gefangenschaft gegenübergestellt und jede Meinung ist
dabei mit einem Argument versehen, ohne daß Hieronymus sich
für eine entscheidet. Ebenso verfährt der Kirchenvater mit
2,1o und 2,11 (p.34), wo jeweils noch eine dritte Deutung
gegeben ist, einmal eine allegorische, einmal auf das Jüngste
Gericht[29]. Und auch im nächsten Beispiel, 2,15 p.36, bei dem
Hieronymus eine dreifache Auslegung anbietet, nämlich einmal
auf die Römer, einmal auf die Babylonier bezogen und dann noch
eine allegorische, zieht er keine der Möglichkeiten vor.

Buch II

Zu der Prophezeiung, daß den Juden die Richter entzogen
würden (3,2 p.42), merkt Hieronymus an, daß die Juden der
ewigen Knechtschaft der Römer unterworfen seien und daher
jetzt von diesen gerichtet würden[3o]. Das Prophetenwort, Juda

und Jerusalem müßten fallen wegen ihrer Reden und Taten gegen
den Herrn, deutet Hieronymus (3,8-9 p.51) auf das Strafgericht
wegen Christi Tod: "...causasque reddit impietatis eorum, quia
contra Dominum blasphemaverunt atque dixerunt: tolle, tolle
crucifige talem". (Hier ist die Schuld der Juden zum ersten
Mal im Isaiaskommentar angesprochen). Ganz auf derselben
Linie liegt 3,1o-11 p.51: "et qui principem suum Romanae tra-
didit potestati, ipse Romanae subiacet servituti." In all
diesen vorliegenden Fällen muß man zugeben, daß Hieronymus,
besonders wenn man die messianische Interpretation des Alten
Testaments in dieser Zeit berücksichtigt, den Text nicht
gewaltsam mißbraucht.
Nicht wie die Juden die babylonische Gefangenschaft, sondern
die römische hat Hieronymus im Auge 3,18 p.55. In 3,15 p.49
aber zitiert er Josephus als Zeugen dafür, daß er mit seiner
Beziehung auf Titus und Vespasian recht habe.
In unmittelbarem Anschluß an die Prophetenworte bezieht sich
dann der Exeget wiederum 5,13 p.73 auf die Geschichtsschreibung:
"haec iuxta litteram accidisse populo Iudaeorum sub Vespasiano
et Tito Romanis principibus tam Graeca quam Latina narrat
historia."
"hoc accidisse Iudaeis post passionem Domini sub Vespasiano
et Adriano nemo dubitat", heißt es ebenfalls zu 5,21 p.81,
doch muß Hieronymus hier gestehen, daß er glaubt, das Prophetenwort sei "hyperbolice dictum". Nur unter dieser Voraussetzung paßt es auf die römische Gefangenschaft.
Etwas weit hergeholt ist auch die Interpretation von "levabit signum in nationibus procul", 5,26-3o p.82: Dies sei
gesagt, weil ein Vielvölkerheer "Romano imperio" das jüdische
Land eroberte.
Buch III
Im 3. Buch läßt Hieronymus in seiner deutenden Paraphrase
der Bibelworte an zwei Stellen (6,11-13; 7,1-2 p.94-95) Gott
selbst (bzw. Christus) ausdrücklich ankündigen, daß das jüdische Volk von Vespasian, Titus und Hadrian unterworfen wird.
Die Schuldthese kommt nicht zum Ausdruck, aber Gott selbst

nennt die römischen Kaiser gewissermaßen seine Folterknechte.
Buch VI
Hier stellt Hieronymus in Ablehnung der umgekehrten Strafgerichtsthese die rhetorische Frage, wer wohl Rom Babylon
nennen würde; diese Frage konnte gerade er gut beantworten
(vgl. o.S.21-23). Doch hier steht die für Christen anscheinend
völlig absurde These zur Debatte, daß die Römer den Juden
einst dienen würden - in diesem Sinn also sei Rom bestimmt
nicht Babylon.
Buch VII
In 17,9-1o p.27o-271 ist dagegen das Element der Schuld wieder genannt; Anlaß dafür ist hier der Terminus "deus sal-
vator", der im christlichen Sinn auf Jesus gedeutet wird,
so daß Hieronymus, das jüdische Volk anredend, als Grund der
römischen Verwüstungen angeben kann: "quia oblita es dei
salvatoris tui, qui interpretatur Iesus". Kurz danach noch
einmal, bekräftigend: "causa ergo desertarum urbium Iudaeae
oblivio salvatoris est"[31].
17,12-14 p.187 zielt umgekehrt die Prophezeiung auf die
Bestrafung Roms ab. Hieronymus aber deutet, indem er das
Brausen und Tosen der Völker kurzerhand in die Amphitheater
des heidnischen Rom verlegt, auf die Zeit der Christenverfolgung.
Buch VIII
In 26,5-6 p.331-332 interpretiert Hieronymus die civitas sub-
limis, die erniedrigt wird, natürlich nicht wie die jüdischen Ausleger als Rom, sondern als Jerusalem: bei dieser
Konkurrenz der jüdischen und christlichen Auslegung nimmt
Hieronymus eindeutig Stellung. (Abgelehnt ist die umgekehrte
Strafgerichtsthese auch 25,1-5 p.325). Römisches Militär ist
nach Hieronymus auch 27,5 und 1o (p.348) Gottes Werkzeug bei
der Bestrafung der Juden.
Buch IX
Während die Stelle 28,9-13 (p.36o) offensichtlich kein Problem verursacht - Hieronymus läßt den Text wieder sowohl
für die babylonische als auch für die römische Gefangenschaft

gelten - macht die Erklärung von 29,1-8 p.371 einige Schwierigkeiten. Zwar ist die Bedrängnis Jerusalems durch seine Feinde
groß, doch soll in einem plötzlichen Donner und Erdbeben, so
das Prophetenwort, der Feind vernichtet werden, der sich seiner Erfolge gleichsam nur im Traum erfreuen durfte. Bei Hieronymus kennzeichnen die Naturereignisse das Eingreifen des
römischen Heeres unter Vespasian und Titus; das Traumhaft-
Leere besteht lediglich darin, daß die Römer den Erfolg ihrer
Kraft und ihren Göttern zuschreiben statt Gottes Zorn auf
Israel. Das römische Selbstverständnis ist damit gerettet.
An der letzten Stelle im Buch IX (3o,25 p.394), an der Rom
erwähnt ist, setzt sich Hieronymus wieder mit der umgekehrten
Strafgerichtsthese auseinander, daß also die Drohung gegen
das imperium Romanum gerichtet sei. Interessanterweise zieht
er dazu II Thess.2,7 heran, eine Stelle, die im Christentum
vielfach auf die Vernichtung Roms gedeutet wird und mit der
man sich bei Hieronymus noch zu beschäftigen hat. Hier allerdings geht er nicht weiter darauf ein (gebraucht aber auch
keine ablehnenden und tadelnden Worte), sondern schlägt eine
allegorische Auslegung vor.

Buch X

Im Buch X haben wir an einer Stelle (32,9-2o p.4o9) wieder die
These der ewigen Zerstörung Judäas und Jerusalems vorliegen.
Wie auch öfter an anderen Stellen schieben sich von Hieronymus'
Warte aus Zeiten und Ereignisse der Vergangenheit ineinander,
so daß sie, vor dem Hintergrund der Strafprophezeiungen, gleichsam auf e i n e r Bühne zu sehen sind ("...quae sub Vespasiano et Tito Hadrianoque accidit") und im biblischen Kontext
auch gleich bewertet werden. Die andere Stelle, die für diesen
Zusammenhang in Betracht kommt (genau genommen sind es zwei,
34,1-7 und 8-17 p.42o-423), zeigt wieder die Gleichsetzung von
Edom (Duma, Idumaea) mit Rom; Hieronymus stellt nun dazu fest,
daß "plerique nostrorum" aufgrund der Johannesapokalypse ebenfalls eine endzeitliche Zerstörung Roms annehmen. Unser Exeget will die Prophetenworte zwar auf das Weltende beziehen
(und teilweise dann wieder auf die Zerstörung Jerusalems im

Sinn eines göttlichen Strafgerichts), doch seine Ablehnung
äußert sich nicht stärker als in dem nur leicht tadelnden
"Iudaei...suspicantur" p.423.

Buch XI

Hier werden lediglich "duplicia peccata" angeführt, einmal
erwiesen durch die Babylonier, einmal durch die Römer, weiter
ist nicht interpretiert (4o,1-2 p.455).

Buch XII

Nur ein Zeugnis für die Auffassung vom Strafgericht Gottes
gegen die Juden durch die Hand der Römer ist zu nennen: In
42,18-25 p.487 heißt es: "ideo effudit Dominus super eos
totam iram suam et indignationem furoris plenam, ut ...compre-
henderet eos (scil.Iudaeos) bellum fortissimum, quod nequaquam possint evadere, ostendens ferociam Romanorum".

Buch XIV

Die vier Nennungen der Römer, mit denen wir es hier zu tun
haben, unterscheiden sich voneinander. Am schwächsten vertreten, eher nur angedeutet, ist unsere These in 52,4-6 p.578:
Das jüdische Volk ist verglichen mit einer im Netz gefangenen
Gazelle, d.h. entweder von den römischen Streitkräften oder
den Stricken des Teufels, "quibus vinctus hucusque retinetur",
also wieder eine Interpretation, die in das Belieben der
Leser gestellt ist.

Ausdrücklich als Henkersknechte zur Bestrafung der Juden bezeichnet Hieronymus die Römer in 52,11-12 p.585: "ut nequaquam
cum Iudaeis blasphemantibus maneant (scil.apostoli) in quorum
necem Romanus paretur exercitus, sed pollutos derelinquant."
Die Juden sind gewissermaßen Verfemte, deren Gegenwart man
meiden muß.

Mehrere der bisher aufgetretenen Gesichtspunkte, Verwüstung
des Landes, Ausgeliefertsein an die Römer und fortdauernde
Gefangenschaft sind genannt in 5o,11 p.557. Fast dasselbe ist
ausgedrückt in 53,8-1o p.594: "...post Domini passionem"
(dieses Element, das auf Worten des Prophetentextes fußt,
kommt hinzu) "Romanis tradiderit Deus et aeternae subiecerit
servituti". Neu an dieser Stelle ist, daß nicht einfach das

jüdische Volk betroffen ist, sondern Schriftgelehrte und
Pharisäer, Sadduzäer und Priester. Freilich könnte man, so
Hieronymus, die Stelle auch so auslegen, daß der Herr deswegen
gelitten habe, daß er sich aus Heiden- und Judentum eine Kirche
versammle.

Buch XVI

Mit wieder anderen Worten drückt Hieronymus das Gottgewollte
der römischen Militäraktionen in Judäa aus, wenn er sagt (59,
16-18 p.687): "haud dubium quin Iudaeos significet, perseve-
rantes in blasphemiis. et vicissitudinem hostibus suis, quando
eos Romanus cinxit exercitus; quibus vincentibus, Dominus
pugnasse monstratur." Auch einige Zusatzworte, die, wie Hieronymus anmerkt, nicht in den Septuaginta zu finden sind, müssen
vom römischen Heer verstanden werden.

Buch XVII

Das letzte Zeugnis dieses Buches ist auch das ausführlichste,
64,8-12 p.739-74o; Hieronymus zeigt, daß die Worte des Propheten nicht, wie die Juden meinen, schon in assyrischer oder
babylonischer Zeit sich erfüllt hätten, sondern zur Zeit des
römischen Sieges; man möge nur die Schilderungen des (Flavius)
Josephus über die Einnahme Jerusalems vergleichen, so sei dies
so offensichtlich, daß es überflüssig sei, darüber zu disku-
tieren.

Davor sind die victores Romani in 63,17-19 p.733 erwähnt, wo
Hieronymus den Propheten vom Tempel sprechen läßt, den die
Römer zerstört haben. Ausdeutungen in Richtung göttliches
Strafgericht sind an beiden Stellen nicht gemacht.

Bleibt noch Is.63,7 p.724-725 anzumerken; hier sollen sich
die Bibelworte wiederum nicht auf die babylonische Zeit beziehen, sondern auf die Gegenwart, in der Israel immer noch
den Römern dient.

Buch XVIII

Auch im letzten Buch seines Großkommentars kommt Hieronymus
noch einmal auf die römische Eroberung zu sprechen; in 66,6
p.775 versteht er unter "vox clamoris de civitate", unter der
Stadt, von wo der Lärm erschallt, Jerusalem, das von den

Römern umzingelt ist. Weitere Andeutungen fehlen, aber der
Isaiastext ist an dieser Stelle auch nicht ergiebiger. Die
andere rombezogene Interpretation finden wir 66,1o-11 p.779,
wo aus den Worten "non solum a Romanis, sed etiam a cunctis
gentibus Israelem esse vastatum" sich schließen läßt, daß hier
die Rolle Roms weniger betont ist; Hieronymus gibt hier die
Deutung einer Übersetzung Aquilas, zu der er aber nicht weiter
Stellung nimmt.

Auch im Ezechielkommentar, der mit 14 Büchern ebenfalls relativ umfangreich ist, finden sich Belege zur hieronymianischen
Strafgerichtsthese, und zwar insgesamt zehn.

Auf den Tod Christi nehmen dabei nur drei Auslegungen Bezug,
einmal 7,8 p.75: "possumus autem et de extrema captivitate
dicere, quod, post interfectionem Christi, quando venit eis
finis...quando a Tito et Vespasiano Hierusalem circumdata
est...". Wie sich dem Text entnehmen läßt, sieht Hieronymus
aber auch eine andere Möglichkeit zu beziehen, nämlich auf die
Eroberung Jerusalems durch Nabuchodonosor. Zum anderen wird
den Juden die Schuld am Tod Christi gegeben in 24,1-14 p.326;
hier heißt es (unter Einräumung wiederum der Möglichkeit, auf
die babylonische Gefangenschaft hin auszulegen, da Babylon
ja auch im Prophetentext genannt ist): "potest autem haec
eadem prophetia et ad tempus pertinere Dominicae passionis,
propter quam exercitu circumdata est Hierusalem et interfecti
filii eius et obsidente Tito filio Vespasiani ad salutem
nullus evasit templumque subito et, post quinquaginta annos,
sub Hadriano civitas aeterno igne consumpta est". Die Schuld
des Volkes, die Strafvollstreckung durch die Römer und die
Ewigkeit der Knechtschaft sind als Elemente dieser Auslegung
gut zu erkennen. Die historische Abfolge ist hier einmal ge-
wahrt[32]. Das dritte dieser Testimonien stellt wieder die
Auslegung auf die babylonische oder die römische Gefangenschaft zur Wahl und merkt zur letzteren an: "...quando vere
effuderunt sanguinem Christi...", also wieder eine indirekte
Schuldzuweisung (36,16-18 p.5o5).

Ohne Darstellung des Schuldprinzips, ohne Kennzeichnung der

Römer als Erfüllungsgehilfen Gottes gibt Hieronymus[33] in 5,1-4
p.55 eine Skizze der römischen Eroberungen des jüdischen Landes:
"...dissensione Hyrcani et Alexandri, per quorum occasionem
Gnaeus Pompeius cepit Hierusalem et Romanae ditioni subdidit,
posteaque sub Tito et Vespasiano" (hier ist die zeitliche
Reihenfolge umgekehrt) "urbs capta, templumque subversum et
post quinquaginta annos sub Aelio Hadriano usque ad solum in-
censa civitas et deleta est".
In 36,1-15 p.5oo wird dann eine andere historische Abfolge
gegeben, bei der die Römer den gewichtigen Abschluß bilden
nach den Unterwerfungen der Meder und Perser, Makedonier und
Ägypter. Allen müssen die Juden gehorchen "et usque hodie
serviunt".
Oft sucht sich Hieronymus am Prophetenwort zu orientieren für
die Zuweisung einer Drohung zu den Ereignissen der babylonischen oder römischen Gefangenschaft, wie auch in 5,1o p.59,
wo er einmal beides gelten läßt, ein andermal wegen der Worte
"et ventilabo universas reliquias tuas in omnem ventum" Bezug
nimmt auf die Diaspora nach der römischen Eroberung.
Ähnlich an den Prophetenworten sich orientierend interpretiert
Hieronymus auch 7,17-18 p.81 und 7,22 p.85; beide Male sieht
er die Drohung in der Eroberung der Römer erfüllt. Als jüdische Interpretation zitiert Hieronymus die rombezogene Deutung in 4,4-6 p.47, wertet diese aber nicht weiter.
"Quattuor modis" möchte Hieronymus Jerusalem verstehen in
16,1-3a p.16o, unter anderem das unter Babyloniern und Römern
im Feuer vernichtete. Auch hier erfolgt kein weiterer Kommentar dazu.
Im letzten großen Werk des Hieronymus, dem unvollendeten Kommentar zu Jeremias, "qui, quantum in verbis simplex videtur et
facilis, tantum in maiestate sensuum profundissimus est"[34],
ist die Strafgerichtsthese kaum noch ausgeprägt.
Die Schuld an Christi Tod und die strafende Funktion Roms
ist nur zweimal vertreten, in 18,19-22a p.18o[35]: die Prophetenworte gelten zwar Babylon, "sed plenius atque perfectius
conplentur in Christo. et urbe subversa Romano gladio truci-

dati sunt non ob idololatriam, quae eo tempore non erat, sed
ob interfectionem filii dei", und gleich danach in 18,22b-23
p.181; Bezug genommen ist hier auch zunächst auf Jeremias und
Nabuchodonosor, aber "si de salvatore, quod verius et melius
est, ad Romanum exercitum. et ne iniusta videatur sententia
dei, exponit, quid fecerint contra Christum, filium dei, et
quid passi sint".
Nur gestreift ist die Strafgerichtsthese in 17,2-4 p.162;
wieder können die Worte die Gefangenschaft unter den Babyloniern betreffen, "vel, ut est verius, sub Romanis". Und die
Begründung für die bevorzugte Deutung: "ipsi enim succende-
runt ignem et clementissimum dominum in furorem provocarunt,
qui ignis furoris eius ardebit in aeternum." Diese Ausführung
folgt, wie oft, den Prophetenworten selbst.
Auch in 19,7-9 p.185 glaubt Hieronymus, im Text Gründe dafür
zu finden, daß man ihn besser auf die Zeit des Heilands beziehe, "quando obsessi sunt a Vespasiano et Tito et civitas
eorum Hadriani temporibus in aeternos cineres conlapsa est".
"Perspicue" sei von der Romana captivitas die Rede in 19,
1o-11a p.185-186, da die Worte "quod non potest ultra instau-
rari" nicht auf die Rückführung des Volkes nach der babylonischen Gefangenschaft passen: "post captivitatem autem,
quae sub Vespasiano et Tito et postea accidit sub Hadriano,
usque ad consummationem saeculi ruinae Hierusalem permansurae
sunt".
An zwei Stellen ist die Gewichtung so verteilt, daß Rom nicht
mehr genannt ist, sondern nur noch die Auswirkung seiner
Eroberung auf die Juden, nämlich Diaspora (9,15-16 p.97) und
das Verbot, die einst heilige Stadt je wieder zu betreten
(18,16 p.179).
Schließlich wehrt Hieronymus auch jüdische Deutungen ab (16,
16-18 p.159; 31(38),15 p.3o7), wobei er sich im letzteren
Fall auf Matthäus beruft, im ersten deshalb ablehnt, weil
das unmittelbar vorher gegebene Versprechen Gottes "et re-
ducam eos in terram suam" nicht zur römischen Gefangenschaft
paßt. Mit der gleichen Begründung bezieht Hieronymus auch

die Stelle 15,2 p.185 auf die babylonische Gefangenschaft;
vom jüdischen Glauben an ein Wiedererstehen Jerusalems in
neuem Glanz und eine jüdische Weltherrschaft distanziert sich
Hieronymus, gesteht aber zu, daß solche Deutung in der Kirche
auch Geltung habe, wiewohl doch Jerusalem und das Volk der
Juden den alten Status niemals wieder erreichen könnten: "usque ad consummationem saeculi ruinae Hierusalem permansurae
sunt".

Keine Sonderrolle ist Rom zuerkannt in 32 (39), 37-41 p.345:
Hier wird ausgeführt, daß Rom zwar oft, aber nur als eines
von vielen Völkern Judäa erobert hat, freilich um dann das
Volk in ewiger Knechtschaft zu halten; und somit, schließt
Hieronymus, passen die Worte vom ewigen Bündnis Gottes nicht
auf Israel, sondern das Christentum.

Eine letzte ausführliche Darlegung der Strafgerichtsthese,
ohne Hervorhebung der Rolle Roms und ganz in heilsgeschicht-
licher Dimension gesehen, und damit gleichsam eine Zusammen-
fassung seiner Haltung gegenüber dem Judentum gibt Hieronymus
in der im Jahr 414 geschriebenen ep.129 an Dardanus[36].
Dieser hatte bei ihm angefragt, welches eigentlich das Land
der Verheißung sei. Hieronymus erklärt, unterstützt von zahlreichen Bibelzitaten, es könne darunter nur das jenseitige
Leben bei Gott verstanden werden. Gegen die Anschauung, das
reale jüdische Land sei gemeint, wendet sich Hieronymus,
indem er die unattraktive Größe und geographische Lage vor
Augen führt: "haec, Iudaee, tuarum longitudo et latitudo
terrarum, in his gloriaris, super his te per diversas pro-
vincias ignorantibus iactitas" (129,4). Aus solcher Argumentation heraus erfolgt dann seine Stellungnahme gegenüber den
Juden (129,6). Zunächst beteuert er: "nec hoc dico in sugilla-
tionem terrae Iudaeorum, ut haereticus sycophanta mentitur,
et quo auferam historiae veritatem, quae fundamentum est
intelligentiae spiritalis, sed", so fährt er fort, "ut decu-
tiam supercilium Iudaeorum, qui synagogae angustias ecclesiae
latitudinis praeferunt". Es ist die alte Klage über das, was
das Christentum nicht begreifen kann: Daß die Juden ihren

Erlöser nicht erkannt haben, von seinem Heilsangebot nichts
wissen wollen. Dann fährt Hieronymus fort (129,7): "multa,
Iudaee, scelera commisisti, cunctis circa servisti nationibus.
ob quod factum? utique propter idololatriam." Hieronymus macht
sich also erst einmal die vielfältigen jüdischen Prophetenklagen zu eigen, die dem Volk immer wieder Abfall vom wahren Gott
vorwerfen. Doch gleich darauf ist zu sehen, daß für Hieronymus
dieser Vorwurf nicht der eigentlich gravierende ist: Nach
kurzer Referierung der ganzen jüdischen Heils- bzw. Unheils-
geschichte bis hinunter zur Unterwerfung unter römische Ver-
waltung von Syrien aus setzt er wieder ein mit den Worten:
"ad extremum sub Vespasiano et Tito urbs capta templumque
subversum est. deinde civitatis usque ad Adrianum principem
per quinquaginta annos mansere reliquiae. post eversionem
templi paulo minus per quadringentos annos et urbis et templi
ruinae permanent. ob quod tantum facinus? certe non colis
idola, sed etiam serviens Persis atque Romanis et captivitatis pressus iugo ignoras alienos deos. quomodo clementissimus
deus, qui numquam tui oblitus est, nun per tanta spatia tem-
porum miseriis tuis non adducitur, ut solvat captivitatem et,
ut verius dicam, expectatum tibi mittat antichristum? ob quod,
inquam,facinus et tam execrabile scelus avertit oculos suos?
ignoras? memento vocis parentum tuorum: 'sanguis eius super
nos et super filios nostros', et: 'venite, occidamus eum et
nostra erit hereditas', et: 'non habemus regem nisi Caesarem'.
habes, quod eligisti, usque ad finem mundi serviturus es
Caesari".

Tabellarische Übersicht

Diese ausführliche Darstellung aller Belege hielt ich für
notwendig, um jedem ein eigenes Urteil über die anschließende
Wertung zu ermöglichen. Dies soll noch erleichtert werden durch
die an dieser Stelle beigegebene tabellarische Übersicht.
In der Tabelle sind alle Schriften, die hier zur Auswertung
gekommen sind, in chronologischer Reihenfolge aufgeführt. Als
Grundlage diente dabei CAVALLERAs Übersicht II 153-165.
Abweichungen davon sind gekennzeichnet durch den Namen des
Autors, dem ich an der jeweiligen Stelle gefolgt bin. Beige-
geben sind außerdem mögliche oder nachweisbare Quellen, aus
denen Hieronymus bei seiner Kommentierung schöpfte. In diesen
Angaben folge ich hauptsächlich GRÜTZMACHER; daneben habe ich
COURCELLE[37] berücksichtigt (vgl. auch unten S.75 und zuge-
hörige Anmerkungen).

Werk	Abf.-Zeit	Zahl d. Belege	Charakterisierung der Belege	Quellen
in Gal.	387 NAUTIN	1	Strafgerichtsthese in allen wesentlichen Zügen, keine Motivierung aus dem Text.	Origenes,Alexander(ein Häretiker), Didymus v.Alexandrien,Eusebius v. Emesa38, Apollinaris v.Laodicea, Theodor v.Heraclea
in eccles.	388-389 KELLY	2	Einmal Ablehnung der Deutung auf die captivitas Romana, einmal deren Erwähnung bei willkürlicher Textbehandlung.	Origenes,Apollinaris,Gregorius Thaumaturgus,Victorin v.Pettau, hebr. allegor. Exegese
tract. in psalm	389-392	5	Die Strafgerichtsthese tritt deutlich hervor, auf der Basis christologischer Textauslegung, nur ei-ne Stelle ist mehr assoziativ als textorientiert.	Origenes, Eusebius (?), hebr. Exegese
in Mich.		7(1)	Textorientierte Interpretation (göttliche Droh-worte), die Strafgerichtsthese ist stark ausge-prägt, Erstes Auftauchen der umgekehrten Straf-gerichtsthese und deren Ablehnung (Ein Beleg im Abschnitt zu Matthäus).	
in Soph.	389-392	6	Die Strafgerichtsthese ist weniger hervorgehoben, ebenfalls ist Roms Erobererrolle nicht immer herausgestellt.	Origenes,hebr. Exegese
in Hab.		1	Die Strafgerichtsthese tritt zurück zugunsten Roms Erobererrolle.	
in Ion.	396	1	Andeutung der Strafgerichtsthese.	
in Abd.		1	Umgekehrte Strafgerichtsthese und deren Ablehnung.	
in Is 13-23	397	6	Strafgerichtsthese und Betonung Roms ist gemie-den; einmal Ablehnung der umgekehrten Strafge-richtsthese.	unbekannt; wohl Origenes und hebr. Exegese
in Matth.	398	2(9)	2 Belege zum Thema römische Eroberung,einmal mit Strafgerichtsthese. 9 Belege erhellen die Bemühung, die Schuld der Römer am Tod Christi wegzuinterpretieren.	Origenes, Theophilus v.Antiochia, Hippolytus,Theodor v.Heraclea, Di-dymus v.Alexandrien,Apollinaris v.Laodicea,Hilarius v.Poitiers, Victorin, Fortunatianus

Werk	Abf.-Zeit	Zahl d. Belege	Charakterisierung der Belege	Quellen
in Mal.		1	Ablehnung der umgekehrten Strafgerichtsthese.	Apollinaris
in Zach.		6	Die Strafgerichtsthese ist weitgehend vertreten und durchweg die römische Eroberung aus dem Prophetenwort gelesen. Ablehnung der umgekehrten Strafgerichtsthese.	Hippolytus, Didymus
in Os.	4o6	2	An einer Belegstelle ist die Strafgerichtsthese ausgeführt.	Pierius, Eusebius, Didymus, Apollinaris, Origenes, hebr. Exegese
in Ioel		3	Andeutung der Strafgerichtsthese; die Gleichsetzung Edom=Rom ist abgelehnt, die Distanzierung von der jüdischen Exegese ist aber im ganzen nicht sehr scharf.	
in Am.		3	Die Strafgerichts- und Schuldthese ist überwiegend vertreten.	Apollinaris
in Dan.	4o7	1	Die Strafgerichtsthese spielt im Danielkommentar praktisch keine Rolle.	Origenes, Eusebius, Apollinaris, Methodius v.Olympus, Hippolytus, Julianus Africanus, Clemens Alexandrinus, Tertullian; wenig hebr. Exegese
in Is.	408-410	42	Die Strafgerichts- und Schuldthese ist ausgeprägt, dabei stark am messianisch verstandenen Text orientiert. Ablehnungen der umgekehrten Strafgerichtsthese scheinen eher beiläufig, wirken nicht überzeugend.	Origenes, Victorin, Eusebius, Didymus, Apollinaris, hebr. Exegese
	410 Fall Roms			
in Ezech.	410-414	1o	Die Strafgerichtsthese ist vertreten, aber nicht ausgeprägt.	Origenes, Victorin (?), Apollinaris, hebr. Exegese
in Ier.	414-416	1o	Von der römischen Eroberung ist oft die Rede, die Strafgerichtsthese selbst tritt zurück.	Origenes, hebr. Exegese

Schon die erste Übersicht ergibt, daß die romzentrierte Auslegung an allen Stellen, die Israel bzw. Jerusalem den Untergang prophezeien, durchgängig über den langen Zeitraum von
fast 3o Jahren erhalten ist. Lediglich die Hervorhebung der
jüdischen Schuld am Tod Christi als Ursache für das göttliche
Strafgericht durch römische Hand zeigt sich ungleichmäßig
verteilt. Insgesamt kann man aufgrund des vorliegenden Be-
fundes die Aussage wagen, daß Hieronymus ausgeht von einer
übernommenen und ihm als Wahrheit feststehenden Tradition
(dies zeigt sich an den Fällen, in denen er ohne oder mit nur
schwacher Motivation vom Text ganz selbstverständlich auf die
Strafgerichtsthese zu sprechen kommt), sich dann aber weit-
gehend am Text orientiert und in den letzten Arbeiten sogar
das Interesse an der Hervorhebung der Strafgerichtsthese verliert[39]. Umgekehrt geht damit Hand in Hand eine gewisse
Unsicherheit gegenüber der umgekehrten Strafgerichtsthese, die
vorher von ihm mit Entschiedenheit abgelehnt wurde.
Zu berücksichtigen ist natürlich, daß Hieronymus bekanntlich
nicht sein originäres Gedankengut wiedergibt, sondern ausgiebig aus seinen Vorgängern in der Exegese schöpft; wieviel
teilweise wohl auch anonymes christliches Traditionsgut, fest
vorgefundene Schemata jedenfalls, die schon als eben so wahr
akzeptiert wurden wie der Bibeltext selbst, sich dabei be-
fanden, ist heute schwer festzustellen.
Daß Hieronymus viel jüdisches Traditionsgut gekannt hat, ist
durch Untersuchungen festgestellt worden[40]. Auch seine Abhängigkeit von der christlichen Tradition, soweit diese uns
heute noch erhalten ist, konnte erforscht werden[41]. Teilweise
nennt ja Hieronymus selbst die Namen seiner Gewährsleute[42].
Origenes ist fast überall herangezogen[43], ebenso die jüdische
Exegese. Bewertungsunterschiede können also daher rühren, daß
Hieronymus einmal der einen, einmal der anderen Richtung den
Vorzug gegeben hat; bekanntlich nimmt der Einfluß (aber nicht
die Benutzung) des Origenes in den späteren Kommentaren des
Hieronymus ab, wobei die Motivation nicht nur in Hieronymus'
Haltung nach dem Origenistenstreit zu suchen ist, sondern

auch darin, daß sich der Exeget später mehr der "historischen"
Auslegung auf Kosten der allgorischen zuneigt[44].
Die Frage ist nun, wie weit sich Hieronymus die jeweils vor-
gelegten Meinungen zu eigen macht. Grundsätzlich bedeutet
schon die Auswahl, die Hieronymus trifft, daß er die genannten
Ansichten zumindest billigen kann, es sei denn, er distanziert
sich ausdrücklich von einer bestimmten Auslegung; dies geschieht oft genug. Freilich ist Hieronymus vorsichtig: Er
möchte sich nicht einer falschen Deutung schelten lassen und
behauptet daher, die Natur der Kommentare sei, die Unterschei-
dung von Falschem und Richtigem dem Leser zu überlassen[45].
Trotzdem meine ich, daß Hieronymus sich sehr oft mit den vor-
gebrachten Auffassungen identifiziert, wie auch PASCHOUD feststellt[46]. Wie der Kirchenvater zu einer Auslegung steht, läßt
sich auch an seiner Ausdrucksweise ablesen: Das Kolorit, das
er seinen Ausführungen verleiht, der Tenor, der in ihnen vor-
herrscht, ist nicht geborgt: Gedanken mußte er sich ausleihen,
Emotionen nicht!
Weiter fällt bei der Untersuchung auf, daß seit der Zeit, in
der Rom in Gefahr ist und schließlich fällt, die Strafgerichtsthese in den Hintergrund tritt, die besagt, daß wegen der
jüdischen Schuld am Tod Christi durch Gottes Wirken Römer
Land und Volk der Juden erobert haben. Man kann bereits einen
Zusammenhang zwischen den Ereignissen um 410 und Hieronymus'
exegetisch-theologischen Anschauungen vermuten. Das Problem
soll an anderer Stelle geklärt werden.
Nun aber zur Rolle Roms in der Strafgerichtsthese. Auch hier,
im exegetischen Werk, müssen wir natürlich Hieronymus' "menschliche" Anschauung von Rom zugrunde legen, wenn wir sein Verständnis von diesem Rom hier richtig beurteilen wollen. Daß
Rom für ihn eine einzigartige Stellung hat, haben wir bereits
gesehen. Daß solche "profanen" Gedanken auch in der Exegese
wirksam sind, ergibt sich immer wieder aus manchmal fast bei-
läufig gemachten Bemerkungen im Text. Ein Beispiel dafür ist
Is.23,13-14 (p.221); das Prophet lobt die unvergleichliche
Stärke Chaldäas, und Hieronymus beeilt sich, dazu anzumerken,

dies habe sich natürlich auf die Vergangenheit bezogen: "simulque considera, quomodo laudaverit Chaldaeos. non dixit 'talis populus ultra non erit' - potentius quippe et durius regnum est Romanorum - sed 'ante non fuit'". Damit ist der "gute Ruf" Roms gerettet; Macht und Stärke der Weltbeherrscherin sind für Hieronymus so sehr mit dem Namen und dem Wesen Roms verknüpft, daß es wohl einem Sakrileg gleichkäme, diese leugnen zu wollen.

Dies ist nun das eine Element von Hieronymus' Beurteilungsgrundlage. Das andere ergibt sich aus der bereits vorhandenen Tradition der christlichen Exegese der Propheten, die praktisch schon mit den Evangelien beginnt[47]. Wenn aber Weissagungen der Ankunft eines Messias oder andere prophetische Bilder, beispielsweise vom leidenden Gottesknecht oder vom "Menschensohn" auf Christus gedeutet werden, ergibt sich beinahe automatisch die Konsequenz, auch die Zerstörungsdrohungen, auch alle Worte, die von Schuld und Vergehen des Volkes Israel sprechen, auf die Zeit nach Christus - und das heißt gleichzeitig, auf römische Zeit - zu beziehen[48]. Im Grunde kann man diese Auffassung den Christen nicht verdenken, glauben sie doch an den, den die Juden verworfen haben. Hat denn nicht dieses Volk den getötet, der zu ihm gesandt war, Gottes eingeborenen Sohn? Die jüdischen Strafgründe dagegen (Götzendienst und ähnliche Zeichen des Abfalls von Gott) konnten die Christen nicht in gleichem Maße berühren[49]. Und so kommt es nun zu der These von der unauslöschlichen Schuld, die bezahlt wird mit ewiger Knechtschaft. Wir müssen akzeptieren, daß das junge Christentum, das zwar nicht mehr um seine Existenz kämpfen mußte, aber immer noch nicht unangefochten war, über eine solche Sicht noch nicht hinauskommen konnte - jedenfalls nicht in einem so wenig spekulativen Geist wie Hieronymus[50].

An dieser Stelle ist, glaube ich, die Anmerkung berechtigt und nach dem Voraufgegangenen auch verständlich, daß Hieronymus sicher kein Judenhasser war, wie GRÜTZMACHER und BRAVERMAN nahelegen wollen[51]. Zu den Ausführungen PENNAs[52] möchte

ich eine Beobachtung hinzufügen: Überall, wo Hieronymus die
jüdische Interpretation ablehnt[53], gebraucht er zwar oft harte
Worte über die A u s l e g u n g, aber niemals beschimpft er
die Juden selbst[54].

Daß aber in dieser Strafgerichtsthese die Römer eine besondere Rolle spielen, wird schlichtweg durch die historischen
Tatsachen nahegelegt. Schließlich h a b e n die Römer in
mehreren Eroberungszügen das jüdische Land besetzt, seine
Hauptstadt zerstört und seine Bewohner in alle Welt zerstreut.
Noch zu Hieronymus' Zeiten hat sich daran nichts geändert; es
gab auch keine Anzeichen dafür, daß sich je etwas ändern würde,
daß es z.B. zu einer Restitution oder gar Ausweitung jüdischer
Herrschaft kommen würde (und von diesem Standpunkt ist Hieronymus sicher berechtigt, von der Ewigkeit dieses Zustandes zu
sprechen).

Zu dieser Auffassung gehört nun aber, daß die Römer mit ihren
jüdischen Eroberungen in keiner Weise schuldhaft gehandelt
haben. Daher ist es für Hieronymus selbstverständlich, im
Matthäuskommentar an den entsprechenden Stellen zu zeigen, daß
die Römer, repräsentiert durch den Statthalter Pontius Pilatus,
keine Schuld am Tod Christi trifft. Daher sind für ihn auch
alle Drohprophezeiungen, die von den Juden auf Rom gedeutet
werden, unsinnig. Mit aller Schärfe wendet sich Hieronymus
deshalb gegen solches Ansinnen: Rom kann nicht im Zuge einer
Strafmaßnahme für die Vernichtung der Juden seinerseits vernichtet werden, schon gar nicht kann es geschehen, daß Juden
über Römer herrschen (dies letztere lehnt er wohl ebenso aus
christlicher Gesinnung wie aus Römerstolz ab).

So fügen sich Tatsachen und Thesen in dem Christen und Römer
Hieronymus zu einem selbstverständlichen Ganzen, über dessen
Wahrheitsgehalt nicht mehr nachgedacht zu werden braucht, da
er für ihn gleichsam axiomatisch ist: Es kann nicht daran
gezweifelt werden, daß Gott selbst in den Römern gekämpft hat[55].
Spiegelt sich hier nicht der alte römische Glaube wider, daß
Rom bei seinen Kämpfen wegen seiner Frömmigkeit die Götter
selbst auf seiner Seite habe, auch die der unterlegenen Völker,

ja auch etwas von römischem Sendungsbewußtsein? Nun ist Rom
sogar christlich, jedenfalls in den Augen des Hieronymus. Wieviel mehr muß es ihm daher einleuchtend erscheinen, daß es eine
Aufgabe im göttlichen Plan zu erfüllen hat[56].

Eines aber muß festgehalten werden: Hieronymus hat Einzelfest-
stellungen getroffen, die aus einer bestimmten, aber keines-
falls starren Haltung kommen. Wir aber sehen im Überblick vielleicht eine Einheitlichkeit, die Hieronymus nie bewußt geformt
hat; denn nirgends hat er seine Strafgerichtsthese zum geschlossenen System gefügt, nirgends ein ideologisches Gedanken-
gebäude errichtet.

2. Römisches Reich und Christentum

a) Roms heidnische Vergangenheit

Schon im Zusammenhang mit dem im vorigen Kapitel abgehandelten
Komplex zeigen sich also Spuren einer Theorie, die den Römern
eine besondere Rolle im göttlichen Heilsplan zuerkennt. Nun
war aber Rom zur Zeit der Geschehnisse, die die Christen dann
dazu verleitet haben, die Römer zu Erfüllungsgehilfen ihres
Gottes zu machen, unzweifelhaft heidnisch und ihr Verhalten
forderte oft die Kritik der Christen heraus. Auch Hieronymus
bildet da keine Ausnahme.

Besonders dort, wo der Exeget die gegen Fremdvölker und Eroberer gesprochenen Drohworte beim besten Willen nicht in Straf-
androhungen gegen Israel ummünzen kann[57], hilft er sich (und
dem römischen Leser), indem er zur Erklärung das heidnische
Rom heranzieht. So läßt er einmal die christenverfolgenden Kaiser[58] des heidnischen Rom bedroht werden (in Zach.14,12 p.889,
vgl.o.S.73), ein andermal die tobenden Volksmassen der Amphitheater[59], die das Schauspiel der Ermordung von Christen ge-
nießen (in Is.17,12-14 p.187, vgl.o.S.78). Auch auf die Stelle
in Is.29,1-8 p.371 wurde bereits verwiesen (o.S.79), zu der
Hieronymus anmerkt, daß die Römer ihren Sieg aus eigener Stärke errungen zu haben glaubten, die doch nur nach dem Willen
Gottes Erfolg haben konnten[60].

Auch an einer anderen Isaiasstelle rügt Hieronymus den heidnischen Geist der Eroberer, der nicht dem den Sieg zuschreibt, "qui victoriam praebuit, sed idola manuum suarum", in Is.2,9 p.33. Überhaupt ist die ganze Darlegung sehr kritisch gehalten: Während der Kirchenvater einerseits feststellt: "sin autem de Iudaeis (scil.intellegimus), prophetae truculenta sententia est, ut contra populum suum orare videatur[61]", scheut er sich nicht, auszusprechen: "si de Romanis intellegimus, verior interpretatio est[62]", und die Begründung liefert der oben angemerkte Tadel, ausdrücklich verbunden mit dem Hinweis auf die Zerstörung des Tempels. Daß dies hier im Gegensatz zu vielen anderen gezeigten Parallelstellen negativ zu werten ist, zeigt deutlich der etwas weiter oben stehende Satz:

> "ubi quondam erat templum et religio Dei, ibi
> Adriani statua et Iovis idolum collocatum est."

Im gleichen Sinn, nur vom umgekehrten Blickwinkel aus, sieht Hieronymus die Tempeleroberung, wenn er anmerkt, Vespasian und Titus hätten die heiligen Tempelgeräte in die Stätten der Götzenverehrung verbracht (in Ioel.3,4-6 p.2o1)[63].

Die Götterverehrung der Römer wird auch bei der Auslegung zweier anderer Isaiasworte bloßgestellt. In Is.57,7-8 p.646-647 illustriert Hieronymus die Prophetenklagen über den Götzendienst der Israeliten mit Beispielen aus Rom. Der Tenor ist allerdings dabei: Wenn sogar Rom so handelt ("ipsaque Roma orbis domina"), wie kann man sich dann über das Verhalten Israels wundern; damit kommt dann immerhin eine Sonderstellung des gleichwohl getadelten Rom zum Ausdruck[64].

Die andere Stelle, Is.2,5-6 p.32 rekurriert - wiederum um Verfehlungen Israels zu erläutern - auf sexuelles Fehlverhalten des Heidentums (angesprochen ist auch Griechenland, das hier vor allem mit dem Hinweis auf die Philosophie als gottlos charakterisiert wird[65]). Dabei ist Hadrian nicht mehr positiv wie in der Strafgerichtsthese gesehen, sondern eindeutig negativ, da er seinen Geliebten Antinous[66] zum Gott weihen ließ.

In einer Homilie zur Geburt des Herrn schließlich legt Hieronymus dar, daß bei der Eroberung Jerusalems unter Vespasian und Titus Juden und Christen das gleiche Schicksal traf:

> "post quadraginta duos annos venit Vespasianus
> et Titus: subversa sunt Hierosolyma atque de-
> structa: omnes qui Iudaei fuerunt et Christiani,
> penitus eiecti...in ista provincia nullus Iu-
> daeorum, nullus Christianorum erat" (Hom. in
> nat.p.527).

Hieronymus weiß natürlich, daß die ersten Christen aus dem Judentum kamen (vgl.in Is.53,8-1o p.594 o.S.8o-81). So stehen ihm,
dem Christen, die Christen aus dem jüdischen Volk grundsätzlich näher als die heidnischen Römer[67].

b) Roms christliche Gegenwart

Doch bei solchen Gedanken des Hieronymus kommt auch zum Ausdruck, daß die für Rom so wenig rühmlichen Dinge eigentlich
der Vergangenheit angehören: Die oben zitierten kompromittieren-
den Feststellungen sind in Is.2,5 mit einem "quondam" versehen,
und den Ausklang bildet der Satz:

> "donec sub Constantino imperatore Christi
> evangelio coruscante et infidelitas uni-
> versarum gentium[68] et turpitudo deleta est."

Rom also ist endlich christlich geworden, und einem römischen
Imperator kommt nach seiner Meinung eine Schlüsselrolle zu.
Daher sind auch Prophezeiungen in diesem Sinn zu deuten (in Is.
6o,1-3 p.694):

> "quod cotidie videmus expleri quando idolo-
> latriae errore sublato et persecutionis
> rabie ad finem et tranquillitatem Christi
> Romani principes transeunt".

Weiter unten ist ausgeführt (v.1o-12):

> "videmus Caesares Romanos Christi iugo colla
> submittere et aedificare ecclesias expensis
> publicis, et adversus persecutiones gentium
> atque insidias haereticorum legum scita
> pendere".

An dieser Stelle ist Hieronymus eigentlich schon einen Schritt
weiter gegangen: Nicht mehr nur für das Christentum als solches
setzen sich die Kaiser ein, sie sind vielmehr schon zu Vertei-
digern der Rechtgläubigkeit, der katholischen Kirche also, geworden.
Die Wandlung des römischen Reiches zur Christlichkeit ist auch
charakterisiert in Zach.8,6 p.81o, wenn es heißt, die einst zum

Verbrennen bestimmten heiligen Schriften erfreuten sich nun
unter staatlichem[69] Schutz der Verehrung, ebenso in der oft
zitierten ep.1o7,1; hier führt Hieronymus mit stilistischem
Aufwand den Verfall von Roms heidnischen Symbolen eindrucksvoll
vor Augen und stellt im Gegenzug die Verehrungswürdigkeit der
Märtyrergräber heraus.

In Gal.4,3 p.397B identifiziert sich Hieronymus gar mit den
vom Aberglauben zum Christentum befreiten römischen Heiden, die
er neben den "weisen" Griechen und den Barbaren nun wieder besonders tadelt:

> "Romanique omnium superstitionum sentinam
> venerentur; quibus, cum Christus venerit,
> liberamur intelligentes ea creaturas esse,
> non numina".

Die Rolle Roms ist hier übrigens mehr passiv, die Bekehrung
eher theologisch gesehen.

Zu dieser Passivität läßt sich ein weiteres Zeugnis anführen,
nämlich in Is.42,1o-17 p.483-484, wo die erfolgreiche Tätigkeit
der von Jesus ausgesandten "Menschenfischer" beschrieben ist,
"qui de Hierusalem usque ad Illyriam et Hispaniam evangelium
praedicarunt capientes in brevi tempore ipsam quoque Romanae
urbis potentiam[70]". Und noch eine Stelle paßt zu dieser Sicht;
allerdings zitiert Hieronymus hier nur ohne besonderen Nachdruck die Meinung anderer:

> "alii, quae de Babylone diximus, de Romano
> regno interpretantur, quod in adventu Christi,
> qui eos liberaturus sit, haec omnia complean-
> tur."

c) pax Romana - pax Christi

Auf diesem Hintergrund möchte ich nun zwei Textstellen bei
Hieronymus behandeln, die PASCHOUD in seinen Ausführungen zum
Verhältnis des Hieronymus zur théologie politique zitiert[71],
und die auch PETERSON in seinen Untersuchungen[72] berücksichtigt,
wo er Eusebius' theologisches Geschichtsbild erweist: Neben die
Begriffe imperium Romanum, Friede und Monotheismus tritt ein
vierter ebenso wichtiger, die Monarchie. PETERSON zeigt, daß
auch hier Hieronymus von Euseb abhängt, wenn er Mich.4,1-7
p.469 sagt - und er sagt es nur hier, nicht an der von PA-

SCHOUD angegebenen Isaiasstelle -

> "postquam autem ad imperium Christi, singulare
> imperium Roma sortita est...et ad praedicatio-
> nem unius dei singulare imperium est consti-
> tutum".

Bevor ich zu der anderen Stelle komme, möchte ich vorweg zwei
weitere Anspielungen auf die angesprochene Thematik anführen:

> "ante adventum Christi unaquaeque gens suum
> habebat regem, et de alia ad aliam nullus
> ire poterat nationem; in Romano autem im-
> perio unum facta sunt omnia..."(in Is.19,23
> p.199),

und

> "...et levabit manum suam super flumina
> Aegypti in fortitudine spiritus sui vel
> spiritu violentissimo, quod regnum intelle-
> gimus Romanorum. regnante enim Caesare Augusto,
> quando flos de radice Iesse conscendit et in
> orbe Romano prima facta est descriptio...";

es folgt eine Beschreibung des Schicksals Ägyptens unter den
Römern nach dem Tod der Kleopatra, in Is.11,15-16 p.156.
Der Hauptbeleg aber bei Isaias, auf den man sich für Hieronymus' politische Theologie beruft, und der sich auf die Prophezeiung stützt "non levabit gens contra gentem gladium...",
ist folgender (in Is.2,4 p.3o):

> "veteres revolvamus historias et inveniemus
> usque ad vicesimum octavum annum Caesaris
> Augusti, cuius quadragesimo primo anno
> Christus natus est in Iudaea, in toto orbe
> terrarum fuisse discordiam et singulas na-
> tiones contra vicinas gentes arsisse studio
> proeliandi, ita ut caederent et caederentur.
> orto autem domino salvatore, quando sub prae-
> side Syriae Cyrino prima est in orbe terrarum
> facta descriptio et evangelicae doctrinae pax
> Romani imperii praeparata, tunc omnia bella
> cessaverunt et nequaquam per oppida et vicos
> exercebantur ad proelia, sed ad agrorum
> cultum, militibus tantum legionibusque Ro-
> manis contra barbaras nationes bellandi
> studio delegato, quando impletus est ange-
> lorum ille concentus: gloria in excelsis
> deo et in terra pax hominibus bonae volun-
> tatis".

Zum vollständigen Vergleich sei nun noch die Kommentierung der
genannten Michäastelle zitiert, die ausgelöst wird durch die

Prophetenworte "in aratra gladii mutabuntur":

> "tantaque erit requies, ut non solum in
> urbibus, sed in viculis quoque et agris sit
> unusquisque securus, et hoc fiet quia os
> Domini locutum est. ac primum quidem iuxta
> litteram, antequam nasceretur nobis puer,
> cuius principatus in humero eius, totus orbis
> plenus erat sanguine, populi contra populos,
> reges contra reges, gentes dimicabant ad-
> versum gentes, denique ipsa Romana res pub-
> lica bellis civilibus lacerabatur. Cinna et
> Octavio et Carbone pugnantibus, Sulla et
> Mario, Antonio et Catilina, Caesare et
> Gnaeo Pompeio, Augusto et Bruto, in quorum
> proeliis universa sanguinem regna fuderunt.
> postquam autem ad imperium Christi singulare
> imperium Roma sortita est, apostolorum
> itineri pervius factus est orbis, et aper-
> tae sunt eis portae urbium, et ad prae-
> dicationem unius dei singulare imperium
> est constitutum".

Greifen wir die wesentlichen Aussagen aus diesen Texten heraus:

1. Vor der Geburt Christi gab es Kriege, Blutvergießen, Einzelstaaten, zwischen denen keine Verbindung bestand.

2. Unter der Herrschaft des Augustus begann die pax Romana.

3. Unter der Herrschaft des Augustus wird der verheißene Erlöser, flos de radice Iesse, geboren, als erstmalig eine descriptio orbis Romani[73] vom Kaiser verfügt wurde, wie Lukas
2,1 berichtet.

4. Unter der Herrschaft Christi gelangte Rom zur Einherrschaft;
diese konstituierte sich zum Preis des einen Gottes.

5. Durch die pax Romana und die Ablösung der Einzelstaaten
vom einen römischen Reich werden die Grenzen durchlässig, das
Reich gefahrlos passierbar.

6. Wegen dieser Gegebenheiten konnte das Evangelium überall ver-
breitet werden.

Nun braucht man aber nur PETERSON zu folgen (7o-88), um zu sehen, daß Hieronymus hier in Abhängigkeit von Eusebius alle bekannten Elemente einer schon feststehenden Geschichtstheologie
vorbringt. Die bei Euseb in Einzelausführungen entwickelten
Gedanken vereinigt er alle in wenigen Sätzen, wo immer die
Tradition der Exegese Anlaß dazu bietet. Während aber Eusebius,

im Sinne echter politischer Theologie, den Bezug zur aktuellen
Herrschaft des Konstantin herstellt[74], geht Hieronymus hier
nicht auf ihn ein. Konstantin ist ihm vielmehr wichtig als derjenige, der das Heidentum im römischen Reich überwunden hat
(vgl.o.S.96)[75].

Wichtig zur Beurteilung ist auch, wie oft Hieronymus auf den
einzelnen Topos innerhalb des ganzes Komplexes zu sprechen
kommt. Da zeigt sich nun, daß der Monarchiegedanke lediglich in
der Auslegung des einen Michäaswortes eine Rolle spielt (auch
wenn die Aussage einmal wiederholt wird) und sonst nirgends,
weder in den Kommentaren noch in den anderen Schriften[76]. Den
Primat des Augustus nennt er an zwei Isaiasstellen und indirekt
bei der Michäasauslegung in den Worten "singulare imperium". Am
häufigsten aber bezeichnet er als Wendepunkt zu Einheit und
Frieden die Geburt Christi; Christus ist für ihn der eigentliche Heiland. Man sehe sich die Wendungen nur einmal an: "ante
adventum Christi (gab es lauter Einzelstaaten etc.), in Romano
autem imperio...". Die Verknüpfung der Ankunft Christi mit dem
römischen Reich ist nicht sehr logisch.

"regnante enim Caesare Augusto, quando flos de radice Iesse
conscendit...". Der zeitliche Einklang zwischen Augustusherr-
schaft und Christi Erscheinen ist hergestellt, ebenso im folgenden:

> "...usque ad vicesimum ovtavum annum Cae-
> saris Augusti, cuius quadragesimo primo
> anno Christus natus est in Iudaea, in toto
> orbe terrarum fuit discordia...".

Hier scheint der Friede eher durch Augustus verursacht.
Doch gleich darauf sieht es anders aus: "orto autem Domino Salvatore...tunc omnia bella cessaverunt"; ebenfalls verknüpft mit
der Geburt Christi ist noch eingeschoben die "pax Romani imperii".

> "antequam nasceretur nobis puer...totus orbis
> plenus erat sanguine... .postquam autem ad
> imperium Christi, singulare imperium Roma
> sortita est",

den Prinzipat also, der dem Blutvergießen ein Ende bereitet.
Es stört Hieronymus dabei überhaupt nicht, die historischen

Perspektiven zu verschieben. Der Topos der traditionellen politischen Theologie, daß Christus in das Friedensreich des Augustus hineingeboren wird (vgl.oben "usque ad vicesimum octa-
vum annum" - "quadragesimo primo anno") reiht sich ihm neben
die Aussage, daß erst das Erscheinen des Herrn den Frieden bereitet, die Kriege beendet habe und somit der Gesang der Engel
vom Frieden auf Erden sich erfülle. Bei Michäas steht überhaupt
die Figur des Augustus im Hintergrund (Der Name erscheint sogar
im Zusammenhang mit Bürgerkrieg!).
Hieronymus' eigentliches Anliegen, das zeigt sich somit klar,
ist nicht Politik oder politische Theologie, sondern Christolo-
gie, oder besser das Aufzeigen der Christianisierung des Reiches[77]. Er verkündet Christus, den von den Propheten verheiße-
nen, unter dessen Herrschaft sich die Römer nun eigentlich be-
finden.
Hieronymus respektiert also aus gegebenem Anlaß gängige Topoi
ohne besonderen Nachdruck und ohne besondere Sorgfalt, wie wir
an seiner Diktion gesehen haben.
Daß Rom für Hieronymus immer eine besondere Rolle im göttlichen
Heilsplan spielt, kann so nicht bestätigt werden: Die tadelns-
werten Seiten des heidnischen Rom werden nicht abgeleugnet,
auch die Römer sind nichts anderes als ein erlösungsbedürftiges
Volk, dem Gott unverdientermaßen seine Gnade zugewandt hat.
Auch hier hat also Hieronymus nichts abgerundet, keine einheitliche Lehre vertreten.
Daß Hieronymus aber Motive der politischen Heilstheologie den
Lesern als Gedanken vorlegt, die er selbst akzeptiert, zeigt
zusammen mit seinem Entwurf von der christlich werdenden Welt
ein Wunschbild, einen Traum, den er, das weiß er eigentlich
selbst, spätestens zur Zeit der Abfassung des Isaiaskommentars
nicht mehr träumen darf und kann, denn die aktuelle politische
Situation wird nun auch dem sonst unpolitischen Hieronymus bewußt, wie sich im nächsten Kapitel zeigen wird.

3. Römisches Reich und Apokalypse

a) Rom in der Vier-Reiche-Lehre

Das Kernstück aller Ausdeutungen von prophetischen Bildreden im
Sinn einer Abfolge großer Reiche ist zweifellos bei Dan.2,31-35
zu finden. Hier erzählt Daniel, der als einziger von allen Weisen Babylons dazu imstande ist, Nebukadnezar den Traum, der den
König beunruhigt hatte. Sein Inhalt ist eben das bekannte Bild
der Statue, die von oben nach unten zusammengesetzt ist aus
Gold, Silber, Erz und Eisen und die auf teils eisernen, teils
tönernen Füßen ruht; ein Stein löst sich dann ohne menschliches
Zutun, zermalmt die Füße, zerstört dadurch die ganze Statue,
wächst zu einem Berg und erfüllt die ganze Erde. Daniel selbst
gibt in den Versen 38-44 die Deutung in der Abfolge von vier
Reichen, beginnend mit dem babylonischen Reich, die letztlich
alle zerstört werden vom Reich des Himmelsgottes, das in Ewigkeit fortbestehen wird.

Da das Haupt von Gold mit dem Reich des Nebukadnezar identifiziert ist (die Folgereiche sind nicht genannt, um die prophetische Fiktion aufrecht zu erhalten[78]), fällt es einem Interpre-
tator nicht schwer, weitere Gleichsetzungen selbst vorzunehmen.
Kein Wunder auch, daß in einer Zeit, in der die Juden unter den
Römern zu leiden hatten und die geschichtlichen Ereignisse
längst über die jüdischen Hoffnungen auf Sieg und Unterdrückung
ihrer damaligen Eroberer (bis hin zur jüdischen Weltherrschaft)
hinweggerollt waren, die Umdeutung dieser Prophezeiung vorgenommen wurde, so daß sie sich nun gegen die verhaßten Römer richtete[79], obwohl diese beim Makkabäeraufstand noch willkommene Be-
schützer des kleinen Volkes in seiner Bedrängung waren[80].

Da aber nun einmal das vierte Danielreich mit dem römischen
Weltreich gleichgesetzt war, so FUCHS, "hielt man sich für berechtigt, überall in der Schrift, wo nebeneinander vier Begriffe zu fassen waren, eine Hindeutung auf den Gesamtverlauf der
Weltgeschichte zu erkennen und jeweils die vierte der betreffenden Größen mit Rom selbst zu verbinden"[81].

Hieronymus referiert an verschiedenen Stellen seiner Kommentare
zu den Propheten solche stereotypen jüdischen Deutungen, z.B.

in Joel 1,4 p.163; zum Prophetenwort, das lautet:

> "residuum erucae comedit locusta et residuum
> locustae comedit bruchus et residuum bruchi
> comedit rubigo"

merkt Hieronymus die jüdische Auslegung an:

> "rubiginem referunt ad imperium Romanorum
> qui quarti et ultimi in tantum oppressere
> Iudaeos, ut de suis finibus eos pellerent."

Es folgt dann, ganz im Sinn der Strafgerichtsthese, die er sich
im Zuge seiner Ausführungen zu eigen macht, der Hinweis auf die
Feldzüge Vespasians und Titus' sowie die endgültige Eroberung
unter Hadrian, die in der Neugründung der Stadt Aelia Capitoli-
na auf den Ruinen Jerusalems einen demonstrativen Abschluß erhält. Josephus wird jeweils als Zeuge benannt.

> "haec quattuor regna",

schließt Hieronymus seine Erklärung,

> "quae subvertere Iudaeam, in quattuor cornibus
> Zacharias vidisse se scribit dicente ad eum
> angelo: haec sunt cornua quae ventilaverunt
> Iudam et Israel et Hierusalem."

Gemeint ist damit in Zach.2,1-2 p.76o; diese kurze Vision von
den vier Hörnern bringt Hieronymus wiederum mit dem Traum des
Nebukadnezar in Verbindung:

> "quattuor cornua, quae ventilaverunt et
> disperserunt Iudam et Israel et Hierusalem
> quattuor gentes esse, Babylonios, Medos,
> atque Persas et Macedonas ac Romanos et nunc
> Dominus a propheta interrogatus exponit"

(gefragt wird in der Zachariasvision eigentlich ein Engel)

> "et Daniel plenissime replicat."

Es folgt die bekannte Beschreibung des Standbildes und die Behauptung, Daniel habe diese vier Reiche genannt, ein Zeichen dafür, wie stark die Abfolge Babylonier-Meder/Perser-Makedonier-
Römer bereits typisiert und mit dem Statuengleichnis aus Daniel verbunden war[82].

Zur selben Stelle zieht Hieronymus auch die andere "weltreich-
bezogene" Vision des Daniel heran, die von den vier Tieren, die
dem Meer entsteigen (Dan.7,1-7); sie ist von unserem Exegeten
im Danielkommentar auf den Seiten 837-844 ausgelegt. Hier im

Zachariaskontext macht er nun deutlich, daß dabei unter anderer
Gestalt dieselben Reiche wie bei Zacharias zu verstehen seien.
Dabei nennt er ausnahmsweise einmal mit Hinweis auf die Geschichtsschreibung ein Argument dafür, warum das medische und
das persische Reich zu einer Einheit zusammengefaßt werden.
Was Hieronymus zu dieser parallelen Betrachtung veranlaßt, ist
das Bild der Hörner, wie er selbst indirekt anmerkt,

> "hanc habente scriptura sancta consuetudinem,
> ut regnum semper interpretetur in cornibus"
> (p.761),

denn das letzte Tier der Danielvision hat zehn Hörner.
Es folgt eine völlig an der Historie orientierte Erklärung, daß
Zacharias unter persisch-medischer Herrschaft seine Vision hatte,
als das babylonische Reich nicht mehr bestand, das griechisch-
makedonische aber und das römische erst noch bevorstanden.

> "quae Babylonii",

fährt er fort,

> "quae Medi atque Persae, quae Graeci id est
> Macedones fecerint Iudae et Israel et Hierusa-
> lem, vir eruditis agnoscit, maxime sub Antiocho
> cognomento'Επιφανεῖ' sub quo Machabaeorum
> historia texitur."83

Die Beziehung zum römischen Reich stellt er, ohne den Namen zu
nennen, her, indem er auf die Einnahme Jerusalems nach der Ankunft des Herrn hinweist; Zeugnis dafür seien die Prophezeiungen des Evangeliums und Josephus. Seine Ausdeutung auf die Israel unterdrückenden Reiche präzisiert er dann weiter, indem er
noch einmal ausdrücklich die Sukzession betont, an deren End-
punkt das imperium Romanorum steht.
An der eben besprochenen Stelle (in Zach.2,1-2 p.76o-761) hat
Hieronymus die Deutung aus dem jüdischen Kontext in die christliche (resp.römische) Vorstellungswelt hinübergeführt. In Zach.
1,7 p.753 und 6,1-8 p.792 bleibt er mehr innerhalb der jüdischen Interpretation; nur einige Worte zur letzteren Vision
könnte man im Sinn einer Rombetonung deuten.
Wiedergegeben wird p.753 die jüdische Exegese des Reiters auf
dem rotbraunen Pferd mit seinem Gefolge von rotbraunen, schek-
kigen und weißen Pferden. In Abweichung von der gegebenen

Reihenfolge identifiziert man laut Hieronymus hier die Schimmel
mit den Medern / Persern, die roten Pferde mit dem blutigen und
grausamen Reich der Römer, "quod populum interfecerit et templum
subverterit", die buntscheckigen aber mit den Makedoniern[84],
"quorum nonnulli amici, alii persecutores fuerunt" (hier gibt
Hieronymus einen kurzen Hinweis auf Daniels letzte Vision). Dieselbe jüdische Deutung von "varius" wird uns p.792 vorgelegt,
bei der Erklärung des Nachtgesichts von den vier Gespannen; hier
muß, da nun der v i e r t e Wagen von scheckigen Rossen gezogen wird, das römische Reich differenziert beurteilt werden:

> "scimus enim Romanorum reges alios in
> gentem Iudaeorum fuisse clementes, ut
> C. Caesarem, Augustum et Claudium, alios
> persecutores atque terribiles, ut Caligulam,
> Neronem, Vespasianum et Hadrianum".

Das Gottgewollte aller feindlichen Aktionen gegen Israel (im
Sinn einer Strafgerichtsthese) wird dann im weiteren Verlauf
der Ausführungen herausgestellt: "nihil enim haec quattuor regna quae diximus absque Domini voluntate fecerunt", wobei die
Rolle der Römer wieder einmal hervorgehoben ist, wenn es weiter
unten heißt:

> "clamatque angelus qui loquebatur in propheta
> ad imperium Romanorum 'ite, perambulate
> terram et orbem circuite terrarum vestrisque
> pedibus cuncta regna substernite'."

Andere wieder halten sich, wie Hieronymus berichtet (p.755),
bei der Deutung des prophetischen Bildes von den Pferden an die
Reihenfolge der Farben und kommen auf eine andere Abfolge (Assyrer, Chaldäer, Meder und Perser), bei der Rom keine Rolle
spielt[85].

Wie stark das Schema der Vierzahl wirkte, das sei zum Schluß
dieses Abschnitts noch angemerkt, zeigt anschaulich in Ier.5,
6 p.54; hier ist die Rede vom Löwen, dem Wolf und dem Leopard,
die der Reihe nach gleichgesetzt werden mit Babylon, dem medisch-persischen Reich und dem Alexanders des Großen. Den Mangel fühlend, sieht sich Hieronymus genötigt hinzusetzen:

> "quia non de futuro vaticinatur, sed de
> praeterito vel iam iamque venturis texit
> historiam, idcirco autem de Romano tacet

> imperio, de quo forsitan dicitur:,omnis qui
> egressus fuerit ex eis, capietur,."

Der zitierte Satz steht im Prophetenwort in unmittelbarem Anschluß an die Aufzählung der drei Tiere.

Diese behutsame Verbindung der Aussage mit Rom wurde vielleicht
hergestellt, um die Vierzahl doch noch in etwa zu erhalten,
vielleicht aber auch, weil ihr für Rom durchaus düsterer Inhalt
zur Konsequenz der ganzen Vier-Reiche-Typologie paßt: das letzte
Reich ist jeweils dem Untergang geweiht.

Damit sind wir beim interessantesten Punkt der hieronymianischen Exegese angelangt: Hieronymus hat einerseits jüdische
Strafgerichtsdeutungen und Weltherrschaftsansprüche mit meist
scharfen Worten zurückgewiesen, andererseits aber die Vier-
Reiche-Lehre mit ihrer Einbeziehung Roms als letztem Reich als
gegeben angenommen[86]. Das bedeutet aber, daß Rom untergehen
mußte. Wie hat er sich dazu gestellt?

Zum vierten eisernen Reich in der Deutung des schon erwähnten
Statuentraumes merkt Hieronymus an (in Dan.2, 31-35 p.794):
"perspicue pertinet ad Romanos"; dann kommentiert er weiter:

> "sed pedes eius et digiti ex parte ferrei, ex
> parte sunt fictiles, quod hoc tempore mani-
> festissime comprobatur: sicut enim in princi-
> pio nihil Romano imperio fortius et durius
> fuit, ita et in fine rerum nihil imbecillius,
> quando et in bellis civilibus et adversum
> diversas nationes aliarum gentium barbararum
> indigemus auxilio."

Das ganz persönliche Engagement des Hieronymus, das sich hier
im Gebrauch der ersten Person ausdrückt, war schon Zeitgenossen aufgefallen, und man hat vermutet, die Worte seien gegen
Stilicho gerichtet[87]. Ob dies tatsächlich in Hieronymus' Absicht gelegen hatte, ist relativ belanglos; wichtig dagegen
ist die Feststellung, daß in dieser Zeit - im Jahr 4o6 - die
militärische und außenpolitische Lage des Reiches dem Bibel-
experten solche Sorge bereitet, daß er anläßlich einer für
Rom verhängnisvollen Prophezeiung Parallelen zieht zur aktuellen Situation, ein Vorgehen, dessen Konsequenzen ihm zweifelsohne noch nicht bewußt waren. Denn im folgenden, wo von
der Vernichtung aller Reiche, also auch Roms, die Rede ist,

hat es nicht den Anschein, als ob Hieronymus schon ernsthaft
das Ende des römischen Imperiums als unmittelbar bevorstehend
in Betracht zieht. Er fährt fort:

> "in fine autem horum omnium regnorum auri,
> argenti, aeris, et ferri abscisus est lapis
> - dominus atque salvator - sine manibus - id
> est absque coitu et humano semine de utero
> virginali - et, contritis omnibus regnis,
> factus est mons magnus et implevit univer-
> sam terram."

Ganz offensichtlich flüchtet er sich in die eschatologische
Deutung[88].

Das Traumgesicht des Nebukadnezar hat eine Parallele in der
Vision des Daniel von den vier Tieren, die dem Meer entsteigen, Dan.7,1-11. Die Identifizierung von Löwe, Bär und Panther
mit dem babylonischen, dem medisch-persischen und dem makedo-
nischen Reich erfolgt nach dem gewohnten Schema (p.837-842);
Hieronymus geht auf Details in den Beschreibungen der Tierwe-
sen ein und referiert auch Ansichten der Hebräer, so p.84o, wo
angesichts der Behauptung, die Perser hätten gegen Israel nicht
grausam gehandelt[89], an die Auslegung von Zacharias' weißen
Pferden erinnern wird. Das vierte Tier erscheint Dan.7,7; ich
folge zunächst den Worten des Hieronymus (p.842):

> "quartum, quod nunc orbem tenet, imperium
> Romanorum est, de quo in statua dicitur:
> tibiae eius ferreae, pedum quaedam pars
> ferrea, quaedam fictilis, et tamen ipsius
> ferri ex parte nunc meminit: dentes eius
> ferreos et magnos esse contestans."

Hieronymus spricht sich also deutlich für die Identität beider
prophetischen Bilder aus[9o]. Auch hier ist wieder der aktuelle
Bezug hergestellt: "quod nunc orbem tenet". Weiter heißt es:

> "satisque miror, quod, cum supra leaenam et
> ursum et pardum in tribus regnis posuerit,
> Romanum regnum"[91]

(diese Identifizierung ist also für Hieronymus eine feste Gege-
benheit)

> "nulli bestiae compararit, nisi forte, ut
> formidulosam faceret bestiam, vocabulum
> tacuit ut, quidquid ferocius cogitaveri-
> mus in bestiis, hoc Romanos intellegamus."

Im etwa gleichzeitig abgefaßten Osiaskommentar äußert sich
Hieronymus ähnlich bei der Auslegung der Prophetenworte, die
sich unter dem Bild der ehebrecherischen Frau auf Israel beziehen (in Os.2,1o-12 p.24)[92]:

> "devoraverunt eam primum Assyrii atque Chal-
> daei, Medi et Persae atque Macedones, ad
> extremum saevissima laceravit bestia,
> imperium Romanorum, cuius in Daniele nomen
> tacetur, ut maior formido his, qui devorandi
> sunt, augeatur."

Das Schreckensbild, das dabei von Rom gezeichnet wird, ist
ihm nichts Negatives, zumal es sich ja aus Roms Stärke ergibt, über die sich Hieronymus immer mit Stolz äußert[93]. Die
weiteren Anmerkungen Hieronymus' zum ersten Teil von v.7 betreffen eine jüdische Gleichsetzung des ungenannten Tieres
mit einem Eber oder einfach mit omnes bestiae, allen wilden
Tieren[94], und fügt als Erklärung hinzu, im römischen Reich
seien alle früheren vereint. Und den Danielworten folgend
schließt er den ersten Teil seiner Erläuterungen ab mit dem
Hinweis, daß alle Nationen von Rom vernichtet oder tributpflichtig gemacht worden seien (p.843). Danach geht es um
die Worte, daß das vierte Tier den übrigen unähnlich sei.
Hieronymus wiederholt die eben geäußerte These: "in prioribus
enim singula, in hac omnia sunt". Im folgenden müssen die
zehn Hörner des Tieres und das unter ihnen entstehende kleine
Horn erklärt werden. Porphyrius' (richtige) Interpretation
- gemeint sind Alexanders Nachfolgereiche bis hin zu Antiochus
Epiphanes (das kleine Horn) - wird abgelehnt[95]. Dem, was Hieronymus entgegenzusetzen hat, geht merkwürdig betont ein ein-
leitender Satz voraus: "ergo dicamus, quod omnes scriptores
ecclesiastici tradiderunt." Selten äußert sich Hieronymus so
gewichtig, wenn er im Begriff ist, irgendwelchen Gewährsleuten
zu folgen (gewöhnlich nennt er sie nur einzeln und·nur dann,
wenn er sich von ihrer Meinung distanziert). Es muß also einen
Grund haben, wenn er die Autorität der gesamten kirchlichen
Tradition bemüht[96].
Bestimmt geschieht dies nicht, um gegenüber Porphyrius grö-
ßere Beweiskraft zu zeigen, denn dieser ist durch Eusebius

längst widerlegt[97] und zudem für Christen indiskutabel. Vielmehr scheint Hieronymus eine Entschuldigung dafür zu brauchen,
daß er, nachdem er eine eigentlich ganz plausible Deutung abgelehnt hat, in der Tat keine bessere Exegese anzubieten hat
als eine für römische Ohren im Grunde unerträgliche: Das römische Reich wird einst vernichtet werden.

Selbstverständlich rettet sich Hieronymus auch hier wieder in
den eschatologischen Bereich:

> "in consummatione mundi, quando regnum de-
> struendum est Romanorum, decem futuros
> reges qui orbem Romanum inter se dividant..."
> (p.844).

Doch die Tatsache als solche bleibt bestehen.

Man kann aber aus diesem Kontext heraus sicher nicht behaupten,
daß Hieronymus in einen Antiromanismus verfallen ist. Er fühlt
sich nur dem biblischen Text verpflichtet. Und dieser spricht
für ihn eindeutig - so stark wirkt in ihm die Tradition, die
ihm so einleuchtete, daß er sich mit ihr identifiziert - von
Rom als dem vierten Reich, genauso, als hätte der biblische
Autor den Namen selbst genannt. Hieronymus tut nichts weiter
als sich mit den Gegebenheiten abzufinden.

Von der Zerstörung des vierten Reiches spricht der Prophetentext eigentlich erst in v.11 (Hieronymus hat dies vorweggenom-
men): Nun wird das Tier vernichtet und dem Feuer übergeben, weil
sein Horn - das elfte - prahlerisch geredet hatte. Dieses Horn,
Antiochus nach der ursprünglichen jüdischen Auffassung, symbo-
lisiert für die Christen ganz selbstverständlich den Antichrist.
Hieronymus äußert sich darüber, in Auseinandersetzung mit Porphyrius, p.843 und 844. So wird eine Schlußfolgerung verständlich, die er nun in Auslegung von v.11 zieht (p.847):

> "Dei iudicium venit propter humiliandum super-
> biam. idcirco Romanum delebitur regnum, quia
> cornu illud loquitur grandia."

Weiter unten fährt er fort (p.847):

> "in uno Romano imperio propter Antichristum
> blasphemantem omnia simul regna deleta sunt et
> nequaquam terrenum imperium erit sed sanctorum
> conversatio et adventus filii Dei triumphantis."

Auch aus diesen Sätzen wird deutlich, daß nichts von antirö-

mischer Gesinnung in Hieronymus' Worten zu finden ist. Nicht
das römische Reich soll letztlich getroffen werden, sondern
der Antichrist. Die Zerstörung des römischen Reiches ist deshalb unumgänglich, weil ohnehin am Ende der Zeiten jede irdische Herrschaft vernichtet wird, um der himmlischen Herrschaft
Christi Platz zu machen, unter der dann alle Gläubigen ewig
leben werden. Denn daß Rom Babylon ist, das wegen seiner Sünden bestraft werden muß, möchte Hieronymus nicht gern akzeptieren, und daher gibt er Thesen, die Rom mit dem verderbten
und gottlosen Babylon gleichsetzen wollen, viel deutlicher als
fremde Meinung wieder, der er sich nicht anschließt:

> "licet ex eo, quod iuxta LXX scriptum est:
> filia Babylonis, non ipsam Babylonem qui-
> dam, sed Romanam urbem interpretentur...".

Zwar kommentiert Hieronymus an dieser Stelle (in Is.47,1-3 p.
521) den Gedanken nicht weiter, doch hat er sich durch den Gebrauch von "licet" mit dem Konjunktiv und die vorangehende Wie-
dergabe einer anderen Deutung schon ausreichend davon distanziert.

b) Rom in II Thess.2,3-8

Neben den beiden Danielgleichnissen zeugt Hieronymus' Auslegung einer anderen Stelle, II Thess.2,3-8, für seine Haltung
zum Untergang des römischen Reiches in den Tagen des Antichrist.

Zum ersten Mal beschäftigt sich Hieronymus mit dem Thema, weil
sich Algasia, eine Frau aus Nordgallien[98], unter anderem mit
dieser Frage an ihn gewandt hatte "quid sibi velit, quod idem
apostolus ad Thessalonicenses scribit: 'nisi discessio venerit
primum et revelatus fuerit homo peccati' et reliqua." Ausführlich geht Hieronymus in seinem Antwortbrief[99] auf die Frage
ein, beschreibt erst die Situation, für die der Paulusbrief
geschrieben ist - die Thessalonicher sind beunruhigt durch
fremde Einflüsse und wissen nicht, wann sie die Wiederkunft
Christi erwarten sollen - und erklärt dann:

> "'nisi', inquit, 'venerit discessio primum',
> quod Graece dicitur ἀποστασία, ut omnes
> gentes, quae Romano imperio subiacent,

> recedant ab eis, 'et revelatus fuerit', id
> est ostensus, quem omnium prophetarum verba
> praenuntiant, 'et filius perditionis', id est
> diaboli...'qui adversatur' Christo et ideo
> vocatur antichristus."

Zweierlei wird hieraus ersichtlich: Einmal ist für Hieronymus
das Kommen des Antichrist durch Prophetenwort verbürgt, zum
zweiten ist mit seinem Erscheinen ein Abfall der unter dem
römischen Imperium zusammengefaßten Stämme verbunden; dies ist
die desolatio Romani imperii, von der im folgenden die Rede
sein wird, und die zugleich mit dem Kommen des Antichrist die
Bedingung bildet für die Wiederkunft Christi. Christus aber
wird den Antichrist vernichten (ep.121,11 p.53-54).
Das nun zitierte rätselhafte Pauluswort "et nunc quid detineat,
scitis" versteht Hieronymus, gemäß kirchlicher Tradition, so
(p.54):

> "nec vult aperte dicere Romanum imperium
> destruendum, quod ipsi, qui imperant,
> aeternum putant",

das heißt also, das römische Reich hält den Antichrist ab, solange es noch besteht. Da dieser aber nach Gottes Plan kommen
muß, und dies das Ende des römischen Reiches voraussetzt, ist
es lästerlich, dieses Imperium für ewig zu halten:

> "unde secundum Apocalypsin Iohannis in
> fronte purpuratae meretricis scriptum
> est nomen blasphemiae, id est Romae aeternae."

Die Apostelworte: "qui tenet nunc, teneat, donec de medio fiat"
interpretiert Hieronymus so (p.54), daß der damalige Kaiser
Nero wegen seiner Sündhaftigkeit das Kommen des Antichrist vor-
bereitete ("parturitur"), indem er teilweise erfüllte, was
jener wirken wird, "tantum ut Romanum imperium, quod nunc universas gentes tenet, recedat et de medio fiat".
Auf dieselbe Stelle geht Hieronymus in seinem Jeremiaskommentar ein (in Ier.25,26 p.246), wo ihm die Tatsache, daß der
Prophet aus Vorsicht verhüllt reden muß, Anlaß gibt, zu er-
wähnen, daß auch Paulus dasselbe Problem hatte:

> "quod et Apostolum contra imperium Romanum
> fecisse legimus scribentem de antichristo...
> eum 'qui tenet' Romanum ostendit imperium.
> nisi enim hoc destructum fuerit sublatumque

> de medio iuxta prophetiam Danihelis anti-
> christus ante non veniet."

Durch Offenheit, fährt Hieronymus fort, hätte er nur eine
Christenverfolgung heraufbeschworen (im selben Sinn hatte er
sich bereits ep.121,11 geäußert).

Trotz des relativ langen Zeitraums zwischen Brief (4o6) und
Kommentar (415-42o) ist der Grundgedanke: das Reich muß untergehen, bevor der Antichrist erscheint, derselbe. Neu ist nur
die Verbindung zur Danielischen Antichrist-Prophetie. Noch
fester gefügt hat sich also bei Hieronymus anscheinend die
Überzeugung, daß das römische Reich untergehen muß, wenn der
Antichrist kommt.

Doch auch hier zeigt sich, daß nicht Romfeindlichkeit das Motiv für Hieronymus' Äußerungen ist (gegen PASCHOUD 215). Das
läßt sich noch besser belegen, wenn wir eine 3. Stelle heran-
ziehen, an der wir das geheimnisvolle "qui tenet" zitiert finden, in einem im Jahr 4o9 geschriebenen Brief (ep.123). Ganz
plötzlich unterbricht Hieronymus dort (123,15) seine Ausführungen mit den Worten:

> "verum quid ago? fracta nave de mercibus
> disputo[100], qui tenebat, de medio fit, et non
> intellegimus adpropinquare antichristum, quem
> dominus Iesus interficiet spiritus oris sui".

Die Worte sind geschrieben im gleichen Jahr, in dem Alarich
zum wiederholten Mal Rom bedrohte und einen Gegenkaiser gegen
Honorius aufstellte, Vorgänge, die 41o zum sogenannten Fall
Roms[101] führten. Die Apostelworte haben plötzlich, da es um
Rom geht, eine Aktualität, die Hieronymus vorher nicht gesehen
hat.

> "omnia, quae prophetalis sermo describit",

heißt es dann auch später im Jeremiaskommentar, seinem letzten Werk (in Ier.48,2 p.85),

> "nostro tempore cernimus accidisse, non uni
> Hierusalem, quae ista perpessa est a
> Chaldaeis atque Romanis, sed universo orbi,
> ita ut lacrimae aruerint et ossibus mortu-
> orum universa completa sint".

So paradox es vielleicht auf den ersten Blick erscheinen mag:
nicht Romfeindlichkeit, sondern gerade die Liebe zu Rom ist

es, die Hieronymus eingibt, daß das Furchtbare sich nun ereig-
net habe. Denn wenn Rom fällt, so ist der einzige Trost, daß
nun auch alles Irdische zu Ende ist, daß nach dem Erscheinen
des Antichrist die Wiederkunft Christi zu erhoffen ist.

c) die Erfüllung der Prophezeiungen

Freilich sah sich Hieronymus schon vorher veranlaßt, sich Gedanken über die Weltlage zu machen. Er ist, wir haben es schon
gesagt, im Grunde unpolitisch, doch die Tagesereignisse holen
ihn ein in seiner Studierstube, die Erschütterung des orbis Romanus durch Barbareneinfälle erzwingen die Aufmerksamkeit des
Gelehrten, da auch er unter ihnen unmittelbar zu leiden hat[102].
Nun sucht Hieronymus nach Erklärungen, Ursachen. Ep.60,16
schreibt er: "Romanus orbis ruit et tamen cervix nostra erec-
ta non flectitur." Weiter unten (60,17) heißt es dann:

> "nostris peccatis barbari fortes sunt,
> nostris vitiis Romanus superatur exercitus...
> miseri Israhelitae, ad quorum comparationem
> Nabuchodonosor servus dei scribitur;
> infelices nos, qui tantum displicemus deo,
> ut per rabiem barbarorum illius in nos
> ira desaeviat."

Diese Worte müssen aufhorchen lassen: Hat nicht Hieronymus
eine Strafgerichtsthese immer nur in Bezug auf Jerusalem ge-
ten lassen und umgekehrt jede jüdische Anmutung einer Bestrafung Roms scharf abgelehnt? Wir sehen nun, worin die Ablehnung
eigentlich begründet war: Eine Bestrafung Roms konnte nicht
deshalb vollzogen werden, wie die Juden glaubten, weil Römer
Jerusalem und den Tempel zerstört haben, handelten sie doch,
wie einst Nabuchodonosor, als servi dei. Doch darin ist Hieronymus konsequent: Er hat einmal eine Strafgerichtsthese akzeptiert[103], d.h. die Anschauung, daß Gott die Juden für Fehlverhalten bestraft hat, in der weiter zurückliegenden Vergangenheit unter anderen durch die Babylonier, später durch die
Hand der Römer. Wenn nun im orbis Romanus die Kämpfe toben,
wenn nun Römer, ja römische Christen unsagbares Leid erleben
müssen, muß dies dann nicht eine Strafe Gottes sein, der doch
schon einmal sein eigenes Volk verstoßen hat?
Bereits im Jahr 396, also relativ früh, verknüpfen sich in

Hieronymus' Denken zwei Stränge seines theologischen Wirkens:
Einerseits aus der Exegese die Strafgerichtsthese, die er zwar
nicht erfunden, aber konsequent immer vertreten hat samt der
vorgefundenen Tradition von der Identifizierung Roms mit dem
vierten danielischen Reich und dem Kommen des Antichrist, die
offensichtlich so stark war, daß er sich ihr nicht widersetzen
konnte, andererseits seine Auffassung von einem sittlich hoch-
stehenden, radikalen, das heißt bei ihm letzten Endes asketischen Christentum[104].

In den Folgejahren treten solche Gedanken bei Hieronymus zunächst wieder in den Hintergrund[105], doch als dann die Bedrohung Rom selbst gilt, tauchen sie wieder auf. Im Isaiaskommentar, der zwischen 4o8 und 41o geschrieben wurde, reiht Hieronymus ganz übergangslos an die Schilderung der Zustände in der
babylonischen Gefangenschaft an (in Is.7,21-25 p.1o9-11o):

> "haec post captivitatem solere fieri,
> utinam nesciremus! at nunc magna pars
> Romani orbis quondam Iudaeae similis est.
> quod absque ira dei factum non putamus,
> qui nequaquam contemptum sui per Assyrios
> ulciscitur et Chaldaeos, sed per feras gentes...".

Auch hier also zieht Hieronymus wieder eine Parallele zum Strafgericht Gottes über die Juden. Die den Assyrern und Chaldäern
gegenübergestellten "ferae gentes" steigern noch die negative
Aussage.

Bezeichnenderweise gibt es unmittelbar nach dem Fall Roms kein
Zeugnis des Hieronymus darüber, daß er das Ereignis reflektiert
hätte, ein Hinweis mehr auf seine starke Erschütterung (vgl.
auch die Ausführungen im Teil I S.6o). Erst im Jahr 413 bezieht er den Fall Roms in seine bisherigen Überlegungen über
den stürzenden orbis mit ein und nimmt seine Gedanken vom Versagen des einzelnen Christen vor Gott wieder auf (ep.128,5):

> "pro nefas, orbis terrarum ruit et in nobis
> peccata non corruunt. urbs inclita et Romani
> imperii caput uno hausta est incendio...in
> cineres ac favillas sacrae quondam ecclesiae
> conciderunt et tamen studemus avaritiae.
> ...auro parietes, auro laquearia, auro ful-
> gent capita columnarum et nudus atque esuriens
> ante fores nostras in paupere Christus moritur".

Die Worte schreibt Hieronymus in einem Brief an die kleine
Pacatula, abgefaßt auf Wunsch ihres Vaters Gaudentius, denn das
Mädchen soll von Kindheit an als Nonne erzogen werden. So haben
wir hier im Zweck des Briefes die gedankliche Nähe zu den Kla-
gen über moralisch-sittliches Versagen.
Ein Brief asketischen Inhalts ist es auch, der weitere derartige Ausführungen des Hieronymus enthält; es ist ep.13o (von
414) an die ihm persönlich unbekannte vornehme Römerin Demetrias, die sich unmittelbar vor ihrer Hochzeit plötzlich entschlossen hatte, sich Christus zu weihen. Hier ist allerdings von
Klage und Schuldbekenntnis nicht die Rede - es ist ja auch kein
Anlaß dazu -, sondern ganz im Gegenteil findet Hieronymus im
Handeln der Demetrias einen Weg aufgezeigt, wie die schweren
Zeiten überwunden werden können und der Gegenwart neuer Glanz
verliehen werden kann:

> "invenisse eam, quod praestaret generi, quod
> Romani urbis cineres mitigaret...tunc lugubres
> vestes Italia mutavit et semiruta urbis Romae
> moenia pristinum ex parte recepere fulgorem
> propitium sibi aestimantes deum in alumnae
> conversione perfecta".

Zieht man Rhetorik und eine gewisse Schmeichelei der Höherge-
stellten gegenüber ab, so bleibt doch als Gedanke festzuhalten:
In der Bekehrung, das heißt der vollkommenen Hinwendung zu
Gott, so wie sie Hieronymus versteht, liegt die Hoffnung nicht
nur für die Rettung dieser einen Person, sondern vielleicht sogar für die Welt. Derjenige jedenfalls - dieser Überzeugung ist
Hieronymus offensichtlich -, der sich ganz für Gott entschieden
hat, kann sich als gerettet betrachten[106]. Als Gegenstück fast
zu den Worten des Briefs 123 "fracta nave de mercibus disputo"
zitiert Hieronymus zuversichtlich das horazische "si fractus
inlabatur orbis/inpavidum ferient ruinae"[107].
Der Römer Hieronymus betrauert den Untergang seiner Welt, der
Christ zieht die Konsequenzen: Wir haben uns gegen Gott verfehlt, wegen unserer Sünden ist sein Zorn über uns hereinge-
brochen. Aber die Möglichkeit der Rettung besteht, wenn wir
wirklich christliche Vollkommenheit anstreben.
Dieses eine Beispiel einer unerwarteten und daher allenthalben

gepriesenen Entscheidung zur Jungfräulichkeit kann jedoch
Hieronymus' Pessimismus nicht wirklich dämpfen, dafür ist seine Erschütterung über den offenkundigen Verfall zu tief. Wie
tief, das zeigen mehr als alle wirkungsvoll gezeichneten Schrek-
kensgemälde des stürzenden orbis die folgenden Gedanken (ep.128,
5, im Anschluß an das Zitat oben):

> "legimus Aaron pontificem isse obviam furenti-
> bus flammis et accenso turibulo dei iram cohi-
> buisse; stetit inter mortem et vitam sacerdos
> maximus nec ultra vestigia eius ignis proce-
> dere ausus est. Moysi loquitur deus: 'dimitte
> me et delebo populum istum.' quando dicit:'dimitte
> me', ostendit se teneri, ne faciat, quod minatus
> est; dei enim potentiam servi preces impedie-
> bant. quis, putas, ille sub caelo est, qui
> nunc irae dei possit occurrere, qui obviare
> flammis et iuxta apostolum dicere: optabam
> ego anathema esse pro fratribus meis?
> pereunt cum pastoribus greges, quia, sicut
> populus, sic sacerdos. Moyses conpassionis
> loquebatur affectu: si dimittis populo
> huic, dimitte, sin autem, dele me de libro
> tuo. vult perire cum pereuntibus nec propria
> salute contentus est".

Hier ist nicht an das Seelenheil des Einzelnen gedacht, auch
nicht an eine Art Sühne durch strenge Askese. Der Zorn Gottes
soll aufgehalten werden durch den Mut eines Entschlossenen,
den es aber wohl nicht mehr gibt.
Doch Hieronymus' Stimmung scheint zu schwanken: Während er
hier zwischen Hoffnung und Verzweiflung hin- und hergerissen
ist, hielt er noch ein Jahr vorher (in ep.127 an Principia)
anscheinend die Welt für keiner Rettung mehr wert, denn er
schreibt:

> "vir insignis Anastasius, quem diu Roma
> habere non meruit[108], ne orbis caput sub
> tali episcopo truncaretur; immo idcirco
> raptus atque translatus est, ne semel
> latam sententiam precibus suis flectere
> conaretur dicente domino ad Hieremiam:
> 'ne oraveris pro populo'".

Immer noch streiten die christliche und die römische Seele in
Hieronymus: Einmal akzeptiert er, daß nun das Ende kommen muß
wegen Gottes Zorngericht über die sündigen Menschen, und trö-
stet sich damit, daß danach ja die ewige Herrschaft Christi

anbrechen wird, ein andermal treibt ihn der Schmerz über den
Untergang der römischen Welt dazu, nach biblischen Vorbildern
einen heiligmäßigen Retter herbeizusehnen, der doch noch alles
zum Guten wendet.

Gegen Ende seines Lebens scheint Hieronymus aber endgültig resigniert zu haben, falls es zutrifft, daß die schwer deutbaren
Worte[109] auf Rom zu beziehen sind:

> "capta Hierusalem tenetur a Nabuchodonosor
> nec Hieremiae vult audire consilia, quin
> potius Aegyptum desiderat, ut moriatur in
> Taphnes et ibi servitute pereat sempiterna".

CONCLUSIO

Hieronymus' Verhältnis zu Rom ist, wie wir gesehen haben, viel-
schichtig, facettenreich. Die Brechungen ergeben sich aus dem
Spannungsverhältnis zwischen Römertum und Christentum, in dem
Hieronymus steht; diese Situation teilt er mit vielen Zeitgenossen. Wie er sich darin verhalten hat, zeigt diese Untersuchung. Läßt sich nun aber all das zu einem einheitlichen Bild
zusammenfassen, oder mit anderen Worten ausgedrückt, gibt es
ein bestimmtes Rombild des Hieronymus?
Am unzweideutigsten und unproblematischsten zeigt sich Hieronymus als Römer darin, daß er aus seiner Begegnung mit anderen
Kulturkreisen und den dabei gewonnenen Erfahrungen und Kennt-
nissen eine Vermittlertätigkeit für seine christlichen Lands-
leute macht. Er bekennt sich ausdrücklich dazu, versteht es
gewissermaßen als seinen Beruf und seine Bestimmung, die noch
dürftige Bibelauslegung der Lateiner vor allem durch die griechische Exegese zu bereichern und einen gesicherten lateinischen Bibeltext herzustellen, um der lateinischen Kirche für
Auslegung und Apologie ein verläßliches Fundament zu geben.
Auf der gleichen Linie liegen seine Bemühungen um die Glaubens-
reinheit der römischen Kirche, der stadtrömischen zunächst,
dann aber auch der Katholischen Kirche, denn schon zur Zeit
des Hieronymus, und bestimmt in seinen Augen, ging die Entwicklung dahin, daß der in Rom sanktionierte Glaube für alle Kirchen verbindlich wurde.
Diese beiden sachlich geprägten Beziehungen zu Rom resultieren
aus Hieronymus' persönlicher Verbindung zu der Stadt und seinen
dort lebenden Freunden und Freundinnen; in ganz besonderer Weise fühlt er sich der Kirche Roms verbunden.
Daher haben wir es auch in diesem Teilaspekt von Hieronymus'
Verhältnis zu Rom nicht mit der Romanus-Christianus-Problema-
tik zu tun: Es gibt keine Antithese und keine Zwiespältigkeiten,
denn Hieronymus befindet sich ausschließlich innerhalb des
Christentums, ist römischer Christ unter römischen Christen,

sein aktuelles Bemühen betrifft seine Zeitgenossen; diese Imma-
nenz bewahrt vor Konflikten.

Die Exegese des Hieronymus zeigt ein anderes Bild, und zwar
deshalb, weil nun das "geschlossene System" des gegenwärtigen
römischen Christentums durchbrochen wird durch die Hereinnahme
fremder Elemente, nichtrömischer Gedanken, Erkenntnisse, die aus
den Voraussetzungen der Vergangenheit gewonnen waren. Schon dadurch, daß ein großer Teil der für das Christentum verbindlichen
Heiligen Schrift aus dem Judentum stammt und beiden Religionen
gemeinsam ist, ergibt sich Stoff für kontroverse Auslegungen:
Das Judentum hatte bereits eine lange Geschichte hinter sich,
und diese Geschichte, in der Rom eine nicht geringe Rolle gespielt hatte, war mit in Text und Exegese der heiligen Schriften
eingeflossen. Die Sicht der Juden mußte aber zwangsläufig eine
andere sein als die der Römer-Christen.

Dazu kam die griechische Auslegungstradition, Origenes und Euseb vor allem, die mit ihren übergreifenden, systemschaffenden
Entwürfen, ausgehend von ganz anderen historischen Voraussetzungen, eine Zukunftsschau projiziert hatten, die von der sehr
viel ärmeren und traurigeren Realität bereits eingeholt und ad
absurdum geführt worden war: Es existierte kein einziges christ-
lich-römisches Friedensreich unter einem monarchischen Herrscher als Abbild des e i n e n Gottes im Himmel. Andererseits
waren aber im römischen Reich die Christen auch nicht mehr den
Bedingungen unterworfen, unter denen Hippolytus und andere
eine romfeindliche lateinische Exegese vertraten, und doch
konnte man sich in der Gegenwart ihrer nicht ganz entziehen,
gab es doch frappierende Übereinstimmungen zwischen ihren Aussagen und der aktuellen Situation.

Hieronymus hat aus allen geschöpft, hat den römischen Standpunkt vertreten, solange er nicht ausdrücklich der christlichen
Wahrheit oder dem, was er dafür hielt, widersprach. Ergab sich
aber ein solcher Widerspruch, so bekannte er sich nachdrücklich
und ernst zum Christentum, auch wenn er seine ganz und gar
römische Art dabei verleugnen mußte.

Das vollständige Bild von Hieronymus' Vorstellung von Rom er-

gibt sich freilich erst, wenn man das aktuelle Rom mit einbe-
zieht, von dem er im Grunde immer wieder ausgegangen ist.
Seine Äußerungen über Rom mögen widersprüchlich erscheinen.
Sie sind es nur, weil sie situationsbezogen sind, motiviert
von aktuellen Anlässen, emotional geprägt: Trotzdem fügen sie
sich wie einzelne Mosaiksteine zu einem Bild, das freilich
Hieronymus nie als Ganzes entworfen hat, und das in seinem
Inneren doch existiert, und zwar stetig und durchgängig existiert, als eine in allen Gegensätzen sichtbare Einheit: Das
Bild einer Stadt Rom, die immer noch das Haupt des Erdkreises
ist, der ihren Namen trägt, die immer noch Stärke besitzt,
Einfluß ausübt und integriert. Rom, die strahlende Größe einer
vergangenen, heidnischen Welt hat sich bekehrt, wird immer
mehr christlich werden und als christliches Rom eine Welt be-
herrschen, die sich ebenfalls immer weiter, bis in die barbari-
schen Länder hinein, dem christlichen Glauben unterwirft.
So ergibt sich die Perspektive einer christlichen Welt, des
glaubenden Universums, das hineinreichen wird in die eschatologische Zeit, in die Zeit des Antichrist und des letzten
Kampfes; dann aber wird das irdische aufgehoben sein in einem
himmlischen Reich.
Wenn Hieronymus je einen systematischen Ansatz gemacht, eine
Idee entworfen hat, dann haben wir sie hier. Sie mag äußerlich
eine gewisse Ähnlichkeit haben mit Ambrosius' christlichem Römer-
denken, sie ist aber im Wesen verschieden davon: Hieronymus hat
immer römisches Denken am Christentum korrigiert, nicht umgekehrt. Dies zeigt seine endgültige Reaktion auf die tatsächlichen politischen Verhältnisse: Der Erdkreis wankt, die Stadt
stürzt, unerwartet früh erfüllen sich die Weissagungen der Propheten. Rom hat nicht genug Buße getan, hat den Makel seiner
heidnischen Zeit nicht völlig abgewaschen, die Christen der
Stadt und des orbis sind zu lau, setzen nicht all ihre Kraft
für Gottes himmlische Herrschaft ein, und so geschieht denn
das Unabwendbare.
Man muß immerhin die Intuitionsgabe des "unschöpferischen"
Hieronymus bewundern: Das geistig-geistliche, das christliche

Rom hat in der Tat später einen großen Teil der Welt in einzig-
artiger Weise geprägt und beeinflußt (und die römische Kirche
tut dies noch heute). Doch was Hieronymus für die Qualen des
Untergangs gehalten hat, waren die Geburtswehen einer neuen
Zeit. Hieronymus' Schwäche war, daß er das weltlich-heidnische
Rom der Tradition nicht wirklich überwinden konnte, wie es
Augustin getan hat.

Zum Schluß noch eine Bemerkung zu der oft begegnenden Behauptung, Hieronymus sei Humanist gewesen. Das war er nicht! Er
hat dem Geist der klassischen Antike angehangen, ohne in ihren
Werten etwas dem Christentum Gleichberechtigtes anzuerkennen,
auch ohne ihn hinüberzunehmen in das Christentum: Er hat der
Moabiterin nicht wirklich die Haare geschoren und sie zu seiner
rechtmäßigen Ehefrau gemacht, sondern versucht, Distanz zu halten und doch, um im Bild zu bleiben, seine Sehnsucht nach ihr
niemals überwunden. So ist Hieronymus, wenn es denn erlaubt
sein soll, ihm ein Prädikat aus der modernen Begriffswelt zu
verleihen, eher ein Romantiker, da er der alten Welt nostalgisch
angehangen hat und sie nicht in seinen Glauben und seine Gegenwart integrieren konnte.

ANHANG: IN IS.2o.1-6. EINE EXEGESE
DES HIERONYMUS AUS JÜDISCHER SICHT

Die hier angesprochene Warnung des Propheten an diejenigen, die
ihre Hoffnung auf fremde Reiche statt auf Gott setzen, löst
eine Reichsabfolgeschilderung des Hieronymus aus, die in vieler Hinsicht von allen anderen diesbezüglichen Stellen abweicht.
Anders ist zum Beispiel, daß sie nicht ein prophetisches Bild
erklärt und sich nicht an einer Vierzahl orientiert. Auch gibt
es Einleitungsworte, die das Folgende unter ein ganz bestimmtes
Thema stellen:

> "est igitur hic ordo providentiae dei omne
> hominum genus ineffabili iudicio dispensantis".

Nun wird gezeigt, wie die Reiche nacheinander untergehen, weil
sie gegen den Willen Gottes handeln oder auf ihre eigene Stärke
vertrauen. Damaskus wird zerstört, auf das Israel seine Hoffnung setzte, ebenso Ägypten, weil Juda ihm vertraute (die Angaben beziehen sich auf die Zeit der politischen Teilung in
das Nordreich Israel und das Südreich Juda); Äthiopien aber,
dem die Ägypter wiederum vertrauten, wird von den Assyrern be-
siegt und diese wiederum von den Babyloniern. Von da an setzt
sich die bekannte Reihenfolge fort: Das medisch-persische Reich
behauptet sich, dann folgen Alexander der Große und schließlich
die Römer.
Bis zur Nennung der Assyrer ist immer das Vertrauen auf eine
fremde Macht statt das Hoffen auf die Hilfe Gottes der Grund
für den Untergang, danach werden andere Akzente gesetzt:

> "Assyrii superbierunt non dei, sed suarum
> virium arbitrantes esse victoriam",

heißt es, und dann noch schärfer, im Sinn einer Steigerung:

> "Babylon elevavit contra deum caput",

dann

> "Persae et Medi ex parte persecuti sunt populum
> dei et aries saevissimus ad orientem et
> occidentem omnes populos ventilavit".

Auffallend ist hier die Erwähnung der Verfolgung des Volkes
Gottes, die für Hieronymus sonst nie als Begründung für eine

Niederlage - zur Strafe gewissermaßen - akzeptiert ist. Der
Text lautet weiter:

> "veniat hircus Alexander et conterat eum
> pedibus suis. et iste, ultra modum erectus
> est, veneno pereat, regnumque eius dividatur
> in partes, et cum multo tempore inter se
> collisum fuerit, Romano vincente, populetur.
> Romanus ipse ferratis dentibus unguibusque
> sanctorum carnes et cruento ore laceravit;
> excidatur lapis de monte sine manibus et
> potentissimum primum regnum ac ferreum deinde
> fragile et infirmum in testarum modo
> conterat".

Betrachtet man die kleine Abhandlung im ganzen, wird sofort
klar, daß hier völlig vom jüdischen Blickwinkel her geurteilt
wird: Die Vergehen Judas und Israels bilden den Auftakt zu der
ganzen Vernichtungsserie (und Juden haben Kriegsniederlagen
wie alles Unheil als Strafe Gottes empfunden, vgl.o.S.92[1]), die
Verfolgung des populus dei als strafwürdig betrachtet, sogar
bei den Römern, ohne weiteren Kommentar, ohne Abmilderung, und
wie selbstverständlich folgt dann die Vernichtung dieses Reiches, ganz im Sinn der weiter oben besprochenen antirömischen
Propaganda, die das Judentum dem Danielbuch entnahm, und hier
auch mit den Worten des Danielbuches ausgedrückt.
Denn hier ist nicht nur der Statuentraum verarbeitet[2] (mit
"excidatur lapis" und dem folgenden, vgl.Dan.2,34-35), sondern
auch das Gesicht von den vier Tieren (das Bild von den eisernen
Zähnen und Klauen entspricht Dan.7,7, das "os cruentum" konnte
ich nicht mit Sicherheit identifizieren[3]) sowie die Vision vom
Widder und Ziegenbock (Dan.8,1-8; die Auslegung 2o-25).
Schließlich sei noch auf die schwerfälligen Konjunktive des
Präsens hingewiesen, die der ganzen Diktion etwas Unlateini-
sches verleihen, im Gegensatz zum eleganteren Futur, das sonst
bei Hieronymus in den prophetischen Texten Verwendung findet.
Angesichts dieser Tatsachen muß man sich damit abfinden, daß
Hieronymus hier nicht nur die Worte der jüdischen Auslegung,
sondern auch ihre antirömische Tendenz ohne jede modifizierende
Überarbeitung übernommen hat[4].
Wir konnten schon einmal, im Kapitel über die Strafgerichts-

these, feststellen, daß die Auslegung der zehn Visionen des
Isaias, aus dem dieses Stück hier stammt, aus dem Rahmen der
sonst geäußerten Ansichten unseres Kommentators fällt.

ANMERKUNGEN ZUR EINLEITUNG

1. S.auch KNOCHEs Titel "Ein Sinnbild römischer Selbstauffassung".
2. Vgl.EHRHARDT I,262: (Cicero war) "vielleicht der erste Römer überhaupt, der über den Staat in abstracto philosophierte". MAZZARINO 14-15 und 18 setzt ein "Gefühl der Dekadenz" bereits im 2. vorchristlichen Jahrhundert an.
3. Vgl.KOCH, Roma aeterna 129: "Im Mittelpunkt des Rom-Mythos l a t e i n i s c h e r Zunge steht Vergils Aeneis".
4. S.auch KLINGNER 645 ("Rom als Idee" 645-666).
5. Dazu KLINGNER 504-527; zu Tacitus' zwiespältigem Denken und Fühlen (nicht unähnlich dem des Hieronymus) vgl.bes.522-527.
6. Lesenswert ist das kleine Büchlein von MAZZARINO, der ein Resumé der bisher aufgestellten Untergangstheorien gibt. Er gelangt zu einer "Kritik der Dekadenztheorie".
7. A.O.129.
8. Die Zahl dieser Arbeiten sei Legion, sagt MAIER 43; dort auch (Anm.2) eine Literaturübersicht.
9. A.O.128.
10. Vgl.KNOCHE, Selbstauffassung 125: "Das geistige Profil des 4. Jahrhunderts wird durch den offiziellen Sieg des Christentums betont". Dazu auch MAIER 43-48.
11. Vgl.den gleichnamigen Titel von CAMPENHAUSENs Schrift über Ambrosius.
12. KLEIN, Symmachus 134.
13. A.O.132.WYTZES 43 akzentuiert umgekehrt: Für Ambrosius habe nun das Reich eine christliche Aufgabe zu erfüllen.
14. CAMPENHAUSEN, Ambrosius 96.
15. KLEIN, Symmachus 132; PASCHOUD 201 und 202; CAMPENHAUSEN, Ambrosius 259.
16. EHRHARDTs "Politische Metaphysik" klingt mit Ausführungen zu Augustin als Repräsentanten seiner Epoche aus. Grundlegend die Untersuchungen von MAIER: "Augustin und das antike Rom"; dort auch weitere Literatur.

17. MAIER 25. Über Augustins philosophischen Ansatz auch WACH-
    TEL 15-26.
18. MAIER 25-28.
19. MAIER 76-78 sowie 78-198 (die Deutung von de civ.dei). Dazu
    WACHTELs Arbeit.- Schon hier müßte KOCHs These von der Ver-
    schmelzung zumindest modifiziert werden.
2o. Als symptomatisch für eine solche Sicht können MAIERs Aus-
    führungen 58 gelten.
21. PASCHOUD 221.

ANMERKUNGEN ZU TEIL I

1. Als die wichtigsten wären zu nennen GRÜTZMACHER als die
   grundlegende Arbeit (trotz etlicher Mängel), CAVALLERA, um-
   fassend, sorgfältig und ausgewogen, und neuerdings KELLY,
   St.Jerome, frisch und unbelastet in der Diktion und mit einigen neuen Ansätzen, was die Details betrifft, aber ohne
   originelle Erkenntnisse in den großen Zusammenhängen. Auch
   CAMPENHAUSEN bietet in seinem kleinen Büchlein manche Ein-
   sicht, ist aber, obwohl er CAVALLERA über GRÜTZMACHER
   stellt, in Diktion und Tenor nur wenig über diesen hinaus-
   gekommen.
2. Für die Lokalisation des Geburtsortes schließe ich mich
   KELLYs plausiblen Ausführungen an (3-5). Allerdings spielt
   es hier keine Rolle, wo Stridon genau gelegen war.
3. CAVALLERA II 1o setzt die Grammatik- und Rhetorikstudien
   zwischen 359 und 367 an, mit anschließender Taufe, doch er
   macht keinen Vorschlag, zu welchem genauen Zeitpunkt Hieronymus Rom verlassen hat. GRÜTZMACHER rechnet mit einem Romaufenthalt ab 354 und bestimmt ebenfalls kein Ende (I 113).
   KELLY 24 spricht sich dafür aus, daß Hieronymus als "ambi-
   tious student" vielleicht über die übliche Zeit hinaus in
   Rom geblieben ist. Das Dilemma rührt daher, daß sich Hieronymus selbst nur unbestimmt äußert (ep.3,5), daß er nach
   Beendigung der römischen Studien an den Rhein gereist sei.

4. Soviel ich gesehen habe, favorisiert nur KELLY (in einem eigenen Anhang 337-339) den Ansatz Prospers, nach dem Hieronymus 89 Jahre alt geworden wäre. Doch selbst wenn man mit CA-
VALLERA (II 1o) bis auf 347 als Geburtsjahr heruntergeht,
bleibt eine relativ lange Lebenszeit von 73 Jahren. - KELLYs
Argumentation ist nicht schlüssig: seine Folgerungen basieren
auf zu vielen unsicheren oder falschen Voraussetzungen. Wäre
übrigens der in ep.12o genannte Pater(a), Ahne der Hedybia,
mit dem von Hieronymus in der Chronik zum Jahr 336 n.Chr.
genannten Pater identisch (vgl.PROSOPOGRAPHY 669-67o und den
Artikel von ZIEGLER, RE XVIII,4,2158-2159), dann wäre Hieronymus zuverlässig später als in diesem Jahr geboren, denn
"Pater(a)...antequam ego nascerer, rhetoricam Romae docuit."

5. Ep.15,3 ad Damasum.

6. CAVALLERA I 16 und II 71. PASCHOUD 211. COMERFORD LAWLER
549.

7. Vgl.die spärlichen Angaben über Herkunft und Heimat vir.ill.
135. Nur selten gedenkt er konkret seines Herkunftslandes,
ep.7,5 spöttisch: "in mea enim patria rusticitatis vernacu-
la deus venter est", und ohne merkbare innere Anteilnahme
ep.66,14, obwohl er dort Zerstörung und Verfall der elter-
lichen Güter erwähnt. In der Verlassenheit des Eremitenle-
bens beklagt er sich freilich auch: "hic enim, ubi nunc
sum, non solum quid agatur in patria, sed an ipsa patria
perstet, ignoro". Trotzdem möchte ich die beiden Äußerungen
über natürliche Heimatliebe, die in exegetischem Kontext zu
finden sind (in Ier.7,3 p.75 und in Is.36,11-21 p.433-434),
eher als Gemeinplatz betrachten denn als persönliche Stellungnahme. - Eine seltsame Rangordnung gibt Hieronymus ep.
22,3o: Das Verlassen von Elternhaus und Angehörigen fällt
ihm nicht so schwer wie der Verzicht auf Schlemmereien.
ANTIN 72 faßt die Stelle ironisch auf.

8. Es gibt keine positiven Äußerungen Augustins in der Richtung. Vgl.dazu auch Einleitung S.13 und Anm.18. FISCHER 85
behauptet dagegen eine "glühende Liebe" Augustins zur urbs
Roma, belegt dies aber (86) mit einem Zitat aus einem Brief,

der Hieronymus angehört (ep.143 im Corpus der Hieronymus
briefe) s.auch u.S.117. Alles, was sonst von Augustin zum
Fall Roms geäußert worden ist, spricht von deutlicher Distanz, wie FISCHER selbst zugeben muß (86-87)

9. Vgl. Rutilius Namatianus I,5-24 über den Anlaß der Reise
und die Haltung Rom gegenüber sowie I,47-164 den Hymnus
auf Rom. Dazu die Abhandlung von KNOCHE: "Ein Sinnbild
römischer Selbstauffassung".

1o. Vgl. PASCHOUD 222: "C'est chez Prudence que la théologie
politique et le patriotisme romain et chrétien du siècle
de Constantin atteignent leur plein développement".

11. Vgl. beispielsweise OERTER 8o-81. Man kann sich dabei
selbstverständlich nur auf solche Aussagen berufen, die
nicht speziell unsere Zeit und unseren Kulturkreis voraus-
setzen.

12. MÜLLER schöpft Hieronymus in seinem Aufsatz über das Studentenleben im 4. Jahrhundert bei weitem nicht aus; vor
allem die doch recht zahlreichen Zeugnisse seiner persönlichen Ausbildug berücksichtigt er gar nicht. HAGENDAHL
311 vermerkt den starken Einfluß der heidnischen Schule,
der sich an zahlreichen Reminiszenzen ablesen lasse.

13. Vgl.ep.82,2: "ab ipsis, ut ita dicam, incunabulis catholi-
co sumus lacte nutriti".

14. Hieronymus selbst hat eigene christliche Erziehungsprogram-
me entworfen, z.B. ep.1o4 und ep.128. Dazu gehören im weiteren Sinn auch Anweisungen zum rechten asketischen Leben,
etwa ep.52 und ep.22. Vgl.auch Augustins Schrift "de doctrina christiana", ebenfalls ein Versuch in Richtung einer
eigenständigen christlichen Erziehung. Über Christentum
und Erziehung siehe auch MARROU 455-476: Anders als in
Ländern ohne entwickelte Kultur, in denen das Christentum
geradezu Schul- und Bildungsträger wurde, war es ihm im
antiken Kulturkreis kaum möglich, den alten Traditionen
Eigenständiges entgegenzusetzen, MARROU 46o.

15. Damit soll nicht in die Frage eingegriffen werden, ob
Hieronymus seinen bekannten Schwur, keine Klassiker mehr

zu lesen, gehalten hat; sie scheint mir aber nicht endgültig abgeklärt. EISWIRTH spricht sich völlig dafür aus,
HAGENDAHL hält es für unmöglich, daß Hieronymus auch nur
in den ersten Kommentaren aus dem Gedächtnis zitiert, 323.
Ich möchte jedenfalls dafürhalten, daß er zwar sicher öfter
einmal das eine oder andere nachgeschlagen hat, daß er aber
im Sinne seines Gelübdes keine ausgedehnte Lektüre mehr betrieben hat um der Lektüre willen, und daß er vor allem in
der Lage war, tatsächlich bis ins hohe Alter auch längere
Passagen aus dem Gedächtnis zu zitieren, was durchaus
nichts Ungewöhnliches ist; vgl.auch CAMPENHAUSEN, Kirchenväter 115-116.

16. Zu Umfang und Auswahl der klassischen Autoren bei Hieronymus s.die Untersuchung HAGENDAHLs. Zur Verwendung überlie-
ferter Topoi aus dem heidnischen Bildungsgut bis hin zum
Gebrauch heidnischer Begriffe bei der Bibelübersetzung s.
ANTIN 47-57.

17. "Summo studio et labore" (ep.22,3o), also wohl auch durch
eigenes Abschreiben, hatte er sich bereits in Rom eine Bibliothek angelegt.

18. Den tiefen Eindruck, den die klassische Erziehung auf Hieronymus gemacht hat, bestätigt auch HAGENDAHL 92-93. S.auch
FAVEZ 15: "Son admiration pour la culture profane remonte
au temps de sa jeunesse studieuse à Rome."

19. Vgl.in eccles.6,1-6 p.298: "sive, quod melius puto, nihil
boni facinoris egerit, ex quo sibi queat memoriam comparare, et non vitam silentio transire, velut pecudes, cum habuerit materiam, per quam potuerit apparere quod vixerit"
(vgl.Sall.Cat.1,1; s.dazu HAGENDAHL 129). Das "apud poste-
ros memoriam comparare" ist ein zutiefst a-christlicher,
wenn nicht sogar unchristlicher Gedanke.

2o. Nach HAGENDAHL 147 treten bei Hieronymus nirgends heidnische Topoi so massiert auf wie im ersten Buch der Schrift
gegen Jovinian und besonders 1,42-49. Die Quellen lassen
sich hier schlecht feststellen, HAGENDAHL 147 und 15o-153.

21. Über die Anlehnung an Cicero bei dieser Stelle HAGENDAHL

2o3.

22. Vgl.dazu auch OPELT, Streitschriften 28 mit Anm.8 und 175.
HAGENDAHL 158 führt den überheblichen Ton auf verletze Eitelkeit zurück (wegen des Mißerfolgs der Schrift gegen Jovinian) und dürfte damit recht haben. Zum Gefühl der Bil-
dungsüberlegenheit bei Hieronymus auch HAGENDAHL 112 mit
Anm.1 und 143 sowie LAMMERT 41o-411, der die sprachliche
Seite berücksichtigt.

23. Vgl.ep.52,1: "in illo opere pro aetate tunc lusimus et ca-
lentibus adhuc rhetorum studiis atque doctrinis quaedam
scolastico flore depinximus", ep.81,1: "poteram et ego,
qui saepissime figuratas controversias declamavi, aliquid
de vetere artificio repetere...sed absit a me." - Zur un-
angenehmen Seite der Rhetorik vgl.adv.Rufin.1,3o die Schilderung des Alptraums, der ihn noch in reifem Alter als Rhe-
torikschüler vor dem Lehrer deklamieren läßt, ep.69,2 über
eine Kontroverse mit einem Meinungsgegner und in Gal.2,11
p.365B über einen ausartenden Streit zweier Redner vor Gericht.

24. Vgl.in Gal.lib.3 praef. p.427D-428A (dieser Tenor herrscht
im ganzen Vorwort): "si quis eloquentiam quaerit vel de-
clamationibus delectatur, habet in utraque lingua Demosthe-
nem et Tullium, Polemonem et Quintilianum. ecclesia Christi
non de Academia et Lyceo, sed de vili plebecula congregata
est." Weitere Belege zur Ablehnung der Rhetorik bei HAGEN-
DAHL 112$_1$. - Diese Betrachtungsweise hängt natürlich mit
Hieronymus' Stellung zur Sprache der Bibel zusammen; nachdem er die heiligen Schriften inhaltlich akzeptiert hat,
verteidigt er auch ihre Sprache, die gekennzeichnet wird
mit Worten wie "simplicitas" und "rusticus", andererseits
aber auch dem guten klassischen Stil an die Seite gestellt
ist, vgl.dazu MEERSHOEK 8-17.

25. Zu Hieronymus' schriftstellerischen Qualitäten positiv
FAVEZ 23-27. NORDEN widmet Hieronymus nicht viel mehr als
eine Seite inklusive vieler Zitate; die Ausführungen sind

inhaltlich dürr und in der Beurteilung einseitig. NORDEN
sieht nur die "Auswüchse des pathetischen Stils" und kritisiert das Einsetzen des "ganzen Apparats der sophisti-
schen Deklamationskünste". Positive Beispiele führt er keine an. Dag. KELLY 23, über die Schilderung des Besuchs der
Märtyrergräber in Ezech.4o,5-13 p.557: "a splendid example
of Jerome's mastery of prose style."

26. Es kann als gesichert gelten, daß Hieronymus in Rom Grie-
chischkenntnisse zumindest nicht in dem Maß hatte, daß er
griechische Literatur ohne weiteres lesen konnte, vgl.
KELLY 14 und 17. Über das "Buchgriechisch" zur Zeit des
Hieronymus MARROU 382-384; als Beispiel führt er Hieronymus' Unkenntnis der Bedeutung von ὑπόστασις und οὐσία an,
vgl.o.S.21 und Anm.41.

27. Vgl.ep.125,12: "...ut post Quintiliani acumina Ciceronis-
que fluvios gravitatemque Frontonis et lenitatem Plinii
alphabetum (scil.Hebraeorum) discerem." Was aus diesem Zitat nicht erhellt: Cicero wird auf einsamer Höhe literari-
scher Kunst gesehen: "Tullius, qui in arce eloquentiae
stetit, rex oratorum, Latinae linguae illustrator..."
(quaest.hebr. in gen.praef. p.1, ähnlich vir.ill.praef.p.
2). Kein anderer wird von Hieronymus mit solchen Worten
gepriesen.

28. Z.B. in Is.lib.8 praef. p.315: "legant Tullium, Quintilianum, Gallionem Gabinianum, et ut ad nostros veniam, Ter-
tullianum, Cyprianum, Minucium". An manchen Stellen bei
Hieronymus allerdings kennzeichnet "noster" den Lateiner
gegenüber dem Griechen, z.B. Vulg.Iob.praef.: "in morem
nostri Flacci Graecique Pindari" (fast gleichlautend chron.
praef.) oder "et Plutarchus et noster Seneca", adv.Iovin.
1,49. Hieronymus kehrt seinen römischen Patriotismus hier
auch innerhalb der klassischen Bildung hervor, doch dies
ist eher ein Akzent in der Art seines Römertums als ein
wesentliches Element.

29. Ep.49,1.HAGENDAHL 158 glaubt, das "tuus" charakterisiere
Pammachius als einen gebildeten Mann, doch dies ist sicher

eine Fehlinterpretation.

3o. Solche und ähnliche Formeln über den heidnisch-christlichen
Konflikt des Hieronymus finden sich bei fast allen, die
sich irgendwie näher mit dem Kirchenvater befaßt haben.
Das goethisch-faustische "zwei Seelen wohnen, ach, in meiner Brust" kann zwar fast schon als Gemeinplatz gelten,
doch findet sich wohl nichts Besseres, um Hieronymus in
dieser Hinsicht zu charakterisieren.

31. Vgl.die Schilderung in ep.22,3o. Dazu auch ANTIN 75 mit
Anm.3 und 76.

32. Die Diskussion über die Realität bei HAGENDAHL 318f. Die
Mehrheit der Experten spricht sich danach zumindest für
einen wahren Kern des Erlebnisses aus.

33. Die Interpretation FISKEs 128, "it is a religion to be
Ciceronian" ist falsch, wie man an den bisherigen Ausführungen erkennen kann. Für Hieronymus hatte die klassische Bildung niemals religiöse Dimensionen, die Antithese
liegt auf anderer Ebene (HAGENDAHL 31o neutral: "Cicero...
is opposed to Christ"). Vgl.dazu auch bei KNOCHE, Selbstauffassung 142-143 die Interpretation des Gegensatzes
Christentum-Römertum. - Der Aufsatz FISKEs, der m.E. ein
interessantes Thema "verschenkt", enthält etliche Fehler,
so die Behauptung, Marcella sei die Mutter der Bläsilla
(136).

34. Vgl.ep.22,7: "putavi me Romanis interesse deliciis...
saepe choris intereram puellarum". Während des Wüstenaufenthalts, unter Fasten und Einsamkeit, wird Hieronymus von
den Erinnerungen an das jetzt Unerwünschte heimgesucht.
Äußerungen über Fehlverhalten auch ep.4,2; ep.7,4; ep.49,
2o.

35. Im Gebet seines Kameraden Bonosus gedenkend, der schon
Mönch geworden war, wendet sich Hieronymus an Christus:
"scis ipse...cum post Romana studia ad Rheni semibarbaras
ripas eodem cibo, pari frueremur hospitio, ut ego primus
coeperim velle te colere", ep.3,5.

36. Vgl.dazu KLAUSER, Märtyrerkult, bes.222, und vor allem

DELEHAYE; dort speziell über den Märtyrerkult in Rom 55.
260-299.

37. Vgl.CAVALLERA I 14, wo derselbe zeitliche Zusammenhang hergestellt ist.

38. Zu Damasus vgl.CASPAR 196-295.

39. COMERFORD LAWLER 549, kritisch: "But most of all it is
interesting for its unqualified support of the papacy in
matters of doctrine". CAVALLERA I 52: "Cette lettre...rend
un magnifique témoignage à la primauté romaine". Bei GRÜTZ-
MACHER und KELLY werden diese Zusammenhänge nicht deutlich.
- Nach CASPAR 222 stammt die Idee, Rom anzurufen, von Basi-
lius; vgl.dazu auch CAVALLERA, Le schisme d'Antioche.

4o. Darüber ausführlich CAVALLERA, Le schisme d'Antioche.

41. Die Meletianer fordern von Hieronymus ein Bekenntnis "trium
ὁποστάσεων für die göttliche Trinität, das ihm, der eine
Gefahr der Verwechslung von ὁπόστασις und οὐσία sieht, (ep.
15,3,4), arianisch erscheint, zumal im Abendland sowohl
ὁπόστασις als auch οὐσία mit "substantia" wiedergegeben
wird: Hieronymus will sich auf die Formel "una substantia,
tres personae" festlegen, ep.15,4.

42. CAVALLERA I 51 meint, daß er gerade das nicht getan hat,
sondern nur seine besondere Situation erläutert und
schließt daraus auf eine persönliche Bekanntschaft zwischen
Hieronymus und Damasus. Doch man darf für jene Zeit nicht
erwarten, daß jemand bei der ersten Kontaktaufnahme genaue-
re persönliche Daten angibt. Solche Klassifizierungen blieben unserer Zeit vorbehalten. Auch hätte Hieronymus eine
frühere Begegnung sicherlich erwähnt. In seiner früheren
Arbeit über das meletianische Schisma erwähnt CAVALLERA
übrigens nichts von einer persönlichen Bekanntschaft der
beiden Männer (vgl.a.0.199-2o5).

43. Fast dieselbe Wendung gebraucht er später noch einmal ep.
16,2.

44. Gemeint ist Rom.1,2. Hieronymus bezieht sich oft darauf
mit fast immer den gleichen Worten "fides apostolica voce
laudata".

45. Der Ausdruck stammt von Cyprian, CASPAR 78 und 243.
46. Zu den Anfängen dieser Tradition vgl.KLAUSER, Petrusgrab 71:
    Als in der 2.Hälfte des 2.christlichen Jahrhunderts der
    Gedanke der apostolischen Sukzession sich durchsetzt, be-
    ruft sich Rom zunächst auf Petrus zusammen mit Paulus,
    später allein auf Petrus als Gründerapostel.
47. Einen "seltsamen Schritt" nennt CAMPENHAUSEN, Kirchenväter
    12o das Schreiben an Damasus.
48. Vgl.in Gal.2,11-13 p.366B, wo Hieronymus freimütig zugibt
    (wie auch in seinen vir.ill.1 zu Petrus), daß dieser zu-
    erst Bischof der Kirche von Antiochien gewesen sei.
49. Vgl.auch u.S.97 die Aussage in Is.42,1o-17 p.483-484 über
    die "Menschenfischer", die "Rom einnehmen".
5o. Es ist auffallend, daß Hieronymus von den neutestamentli-
    chen Schriften nur einige Paulusbriefe und das Matthäus-
    evangelium kommentiert hat; nur bei Matthäus findet sich
    die berühmte Stelle (16,18) über das Petrusamt, die auch
    Hieronymus in seinem Brief an Damasus zitiert und auf die
    sich die katholische Kirche heute noch beruft. Nimmt man
    dazu den allgemeinen Sendungsauftrag (Mt.28,18), kann man
    das Matthäusevangelium mit Recht das "kirchliche" Evan-
    gelium nennen, vgl.FEINE-BEHM-KÜMMEL 72.
51. Hieronymus spricht hier Paulus selbst an, in einem Brief
    an Augustin (ep.112,1o).
52. Vgl.in Eph.6,2o p.587C; in Eph.3,1 p.5o8D; in Philem.1
    p.641B; in Philem.8.9 p.648A; in Philem.15.16 p.65oA.
53. Dabei ist es für die katholischen Christen bis heute ge-
    blieben: Sie sind r ö m i s c h - katholisch.
54. Vulg.Iob.praef.
55. Wenn Hieronymus tatsächlich eine so sinnlich veranlagte
    Natur war, wie GRÜTZMACHER I 262 sagt - und es gibt gute
    Argumente dafür - dann verdient er wahrlich nicht, daß man
    die "gewissen Stellen" seiner Werke mit spitzer Feder auf-
    spießt und der allgemeinen Mißbilligung preisgibt, sondern
    im Gegenteil unsere Bewunderung für seinen Glaubensernst
    und seine kompromißlose Entscheidung zum asketischen Leben.

56. Adv.Iovin.2,38. Vgl.auch ep.1o7,1: "auratum squalet capi-
    tolium, fuligine et aranearum telis omnia Romae templa
    cooperta sunt, movetur urbs sedibus suis et inundans popu-
    lus ante delubra semiruta currit ad martyrum tumulos."
    DUCKETT 1o9-11o bemerkt zu recht, daß hier wohl der Wunsch
    der Vater des Gedankens war.
57. Vgl.PASCHOUD 226.
58. Zur Schrift adv.Iovin. vgl.OPELT, Streitschriften 37-63.
59. Vgl.das poetische Graei statt Graeci, das auch Cicero im
    feierlichen Kontext des "somnium Scipionis" bevorzugt, rep.
    6,16 (in der Form Graii); ebenfalls bei Vergil, Aen.1,467.
6o. Die Blasphemie besteht in der Bezeichnung "Roma aeterna",
    s.S.111. Das Motiv stammt aus Apoc.17,5.
61. Vgl.dazu auch nom.hebr. p.148: "Romani sublimes vel to-
    nantes"; "Romam sublimem vel tonantem". Nach OPELT, Roma 56
    wird die Etymologie Roma=ῥώμη von Römern sonst nicht gera-
    de begünstigt, "sie war zu sehr Machtdemonstration, ver-
    mochte nicht die römischen Begriffe "fides", "clementia"
    und "iustitia" in sich aufzunehmen"; sie sei umgekehrt
    "geradezu zu einer Kampfdevise des 'geistigen Widerstands
    gegen Rom'" geworden. Diese Tatsache erklärt auch PASCHOUDs
    Mißverständnis, vgl.S.1o8 mit Anm.93. Bei Hieronymus ist,
    das wird an vielen Stellen deutlich, Roms Stärke in naiver
    Weise durchaus positiv gedacht.
62. Zu Romdeutungen in der Exegese s.Teil II
63. S.S.21-22 über Hieronymus' Haltung in der Frage des Papst-
    tums.
64. CAMPENHAUSEN, Kirchenväter 111 und KELLY 27 sind sich dar-
    über einig (auch CAMPENHAUSEN wohl im Anschluß an CAVALLERA
    I 17.), daß Hieronymus und Bonosus nach Trier gereist sind,
    um ins Berufsleben einzutreten. Diese Vermutung fügt sich
    allzu glatt in die Vorstellung, die wir uns heute von ei-
    nem geordneten Lebenslauf junger Leute machen. Tatsächlich
    aber gibt es nicht den kleinsten Hinweis darauf, daß es
    sich wirklich so verhielt. Vielmehr scheint das Ergebnis
    dieser Reise - eine völlig undramatisch sich vollziehende

Bekehrung, vgl.o.S.19 - darauf hinzuweisen, daß die beiden
jungen Männer zunächst eine Zeit der Besinnung einlegen
wollten, möglicherweise b e v o r sie ins Berufsleben
traten.

65. Vgl.ep.2: "ego ita sum quasi a cuncto grege morbida ab-
errans ovis...ego sum ille prodigus filius, qui omni, quam
mihi pater crediderat, portione profusa necdum me ad
genitoris genua submisi necdum coepi prioris a me luxuriae
blandimenta depellere..."; er vergleicht sich also mit dem
verlorenen Sohn und dem verlorenen Schaf der bekannten
Gleichnisse Luc.15.

66. Vgl.ep.22,3o: "bibliotheca, quam mihi Romae summo studio
ac labore confeceram, carere non poteram. itaque miser ego
lecturus Tullium ieiunabam. post noctium crebras vigilias,
post lacrimas, quas mihi praeteritorum recordatio pecca-
torum ex imis visceribus eruebat, Plautus sumebatur in
manibus. si quando in memet reversus prophetam legere
coepissem, sermo horrebat incultus.

67. Vgl.ep.7,2 ad Chromatium, Iovinum, Eusebium: "nunc cum
vestris litteris fabulor, illas amplector, illae mecum
loquuntur, illae hic tantum latine sciunt", ep.8 ad Ni-
ceam: "expergiscere, expergiscere, evigila de somno,
praesta unam chartae schedulam caritati...si amas, re-
scribe; sie irasceris, iratus licet scribe", ebenso ep.9,
ep.11 und ep.12. Dazu GRÜTZMACHER I 164-167.

68. Vgl.CAMPENHAUSEN 121: "In Wahrheit sehnte er sich wieder
in die Welt, nach Menschen und Verkehr und geistiger Anregung."

69. Bereits in Trier begann Hieronymus auch biblische Kommentare seiner Bibliothek einzuverleiben; um Vervollständi-
gung ist er dann während des ganzen Wüstenaufenthaltes bemüht, vgl.GRÜTZMACHER I 127 und 159. Die Hebräischstudien
gehen in den Anfängen ebenfalls in diese Zeit zurück, vgl.
ep.125,12, ebenso die Abfassung der Vita Pauli, und, nach
GRÜTZMACHER I 163, der erste Abdiaskommentar (vgl.in Abd.
praef. p.349). In Antiochia - während des ersten Aufent-

halts 373/374-375 - hat Hieronymus vermutlich das Griechische richtig gelernt (CAMPENHAUSEN 113), vielleicht
auch den berühmten Apollinaris von Laodicea, Theologe und
Exeget der dem Wortsinn verpflichteten Antiochenischen
Schule, gehört (GRÜTZMACHER I 151) und in Konstantinopel
schließlich auch Gregor von Nazianz, den er später gern
als seinen Lehrer nennt (z.B.adv.Iovin.1,13). In dieser
Stadt beginnt er auch erst richtig seine wissenschaftliche Tätigkeit aufzunehmen; besonders macht er Übersetzungen (Werke von Origenes, aber auch den tabellarischen Teil
der Eusebischen Chronik, den er auch bearbeitet und fortgeführt hat), versucht sich aber auch wieder in einer eigenen exegetischen Arbeit, nämlich der Auslegung von Isaias' Visionen von den Seraphim und den glühenden Kohlen
(=ep.18). Der Traktat ist interessanterweise Damasus gewidmet.

7o. A.O.81.

71. Vgl.CAVALLERA I 75. Zum Konzil vgl.MANSI III 639-642; hier
(639) ist auch vermerkt, daß nur diese beiden genannten
Bischöfe aus dem Orient nach Rom gekommen waren. Die Orien-
talen hatten sich nämlich zuvor bereits in Konstantinopel
versammelt, vgl.MANSI 586-587.

72. Zu Damasus CASPAR 196-295.

73. Der Kommentar, den Hieronymus zu den Isaiasvisionen in
Konstantinopel abgefaßt hatte, war bereits Damasus gewid-
met. Es ist anzunehmen, daß der römische Bischof von dem
Mönch und seinen Fähigkeiten bereits einiges gehört hatte.

74. Vgl.dazu den Vorfall, der sich anhand von Hier.adv.Rufin.
2,2o und Rufin.de adult.libr.Orig.13 rekonstruieren läßt:
Hieronymus hat in Damasus' Auftrag ein sogenanntes Symbol,
also eine Bekenntnisformel für die Apollinaristen aufge-
setzt und darin den aus Athanasius stammenden Ausdruck
"homo dominicus" gebraucht. Die Apollinaristen haben dann
die Athanasiushandschrift so präpariert, als habe Hieronymus erst die Worte dort gefälscht (Hieronymus nennt es
Rufin gegenüber eine Albernheit, damit etwa beweisen zu

wollen, daß auch Origenes stark interpoliert sei.).

75. Über Hieronymus' Tätigkeit für Damasus auch CASPAR 247, wenig freundlich im Urteil.

76. Ein "vir trilinguis" wird Hieronymus genannt, vgl.adv. Rufin.3,6.

77. In Gal.1,19 p.354D und in Ezech.44,1-3 p.647.

78. Vgl.GRÜTZMACHER I 2o1.

79. An exegetischer Korrespondenz mit Damasus sind uns erhalten ep.19 und 2o (Anfrage und Antwort), ep.21,ep.35 und 36 (Anfrage und Antwort).

80. Hieronymus' Vorwort zur Evangelienrevision zeigt sowohl, daß Damasus der Initiator der Arbeit ist als auch, daß Hieronymus bereits an eine Übersetzung des Alten Testaments aus dem Urtext denkt, denn der von den Lateinern gebrauchte Text "tertio gradu ad nos usque pervenit".

81. Diesmal sind es die zwei Homilien des Origenes über das Hohelied.

82. Die Person der Marcella ist in ep.127 (unserer Hauptquelle über sie, neben anderen Briefen des Hieronymus, vgl.PROS-OPOGRAPHY 543) sehr lebendig gezeichnet. STRAUB, Calpurnia univiria, sucht zu erweisen, der Verfasser der Historia Augusta habe bei der Schaffung seiner Calpurnia-Legende das Bild der Marcella aus ep.127 vor Augen gehabt. – THRAEDE (RAC 8,197-269) sieht diesen Brief als Beweis dafür, daß Hieronymus die Rolle der Frau in der Kirche "immerhin gelegentlich verteidigt", er habe sich aber sonst gegen allzuviel weiblichen Einfluß gewandt. – Eine Untersuchung der Haltung des Hieronymus zu den Frauen wäre eine reizvolle Aufgabe.

83. Wir kennen aus Hieronymus' Schülerinnenkreis außerdem noch Lea, zu deren Tod er Marcella ep.23 schreibt, und Asella, die auch aus Palladius bekannt ist, vgl.PROSOPOGRAPHY 117; nach ENSSLIN, RE XIV,2,1437 und SEECK, RE II,2,1531 ist sie Marcellas Schwester gewesen, eine zumindest umstrittene Annahme, vgl.GRÜTZMACHER I 268$_2$. An Asella richtet Hieronymus einen Abschiedsbrief, als er Rom verläßt, s.u.S.33.

Andere Schülerinnen sind nur dem Namen nach bekannt, wie
Felicitas und Marcellina, vgl.ep.45,7. Letztere ist möglicherweise identisch mit der gleichnamigen älteren Schwester des Ambrosius, vgl.PROSOPOGRAPHY 544.

84. Unser Wissen über diese Familie basiert hauptsächlich auf
Hieronymus, daneben sind auch Palladius und Paulin von
Nola Gewährsleute, PROSOPOGRAPHY 162,312,674-675,733,921
und Stemma 1143. Vgl.auch den Artikel von LIPPOLD über
Paula, RE,Suppl.X,5o8-5o9.

85. Hervorhebung von mir.

86. Es war dies Bischof Siricius, vgl.Anm.99 Ende.

87. Ein bekanntes Beispiel ist der 22.Brief, an Eustochium, in
dem er das Verhalten des römischen Klerus geißelt, vgl.
Sulp.Sev.dial.1,8-9 und Rufin.apol.adv.Hier.2,2. Dazu auch
WIESEN 73-75.

88. Didym.spir.praef.p.1o7. Hieronymus bezieht sich auf Apoc.
17,1,4.

89. Ep.46,12. Die Schriftzitate stammen aus Apoc.18,4 und Ier.
51,6.

9o. Ep.45,6.

91. CAVALLERA, der ep.46 erst 392-393 geschrieben sein läßt,
liegt m.E. mit diesem Ansatz zu spät. Ich schließe mich
GRÜTZMACHER an (vgl.a.O.jeweils die chronologischen Tabellen).

92. Wir finden den Babylonvergleich in ep.66, die im Jahr 396
geschrieben ist. Die Worte sind an Fabiola gerichtet, die
wieder nach Bethlehem kommen soll: "et tu quidem optata
frueris otio et iuxta Babylonem Bethlehemitica forsitan
rura suspiras". (Man assoziiert mit diesen Worten das Volk
Israel, das in der babylonischen Verbannung nach der Heimat seufzt.) Rom selbst ist gar nicht genannt. Ebenso allgemein gehalten ist das "fugite de medio Babylonis" in ep.
1o8,31; es kann das (weltliche) Stadtleben im allgemeinen
angesprochen sein, das Paula mit der Ansiedlung in Bethlehem hinter sich gelassen hat.

93. Der Babylon-Vergleich ist keineswegs kontinuierlich durch-
    geführt, wie PASCHOUD 212 nahelegt. Es ist nicht zulässig,
    die drei "Babylon-Stellen" in Zusammenhang zu bringen mit
    sonstiger Kritik an Rom - wer wäre so naiv, vor offenkun-
    digen Mißständen die Augen zu verschließen; bestimmt nicht
    Hieronymus, der zwar Rom und seine Kirche liebt, aber
    trotzdem oder gerade deshalb den Sittenverfall geißelt -
    die, wie der Kontext unzweifelhaft ergibt, aus anderer
    Quelle gespeist wird. (Vgl.auch die pessimistische Auf-
    fassung in vita Malchi praef.55: "Christi Ecclesia...post-
    quam ad Christianos principes venerit, potentia quidem et
    divitiis maior, sed virtutibus minor facta sit.") Und es
    ist weiterhin nicht zulässig, den Zusammenhang herzustel-
    len mit exegetischen Aussagen. Davon in Teil II. - Zu
    recht als unideologisch eingeordnet ist ep.46 bei FUCHS
    74-75: "Aber auch j e d e   a n d e r e   A r t" (Hervor-
    hebung von mir) "von Abneigung gegen Rom" (im Gegensatz
    zur politischen jüdisch-frühchristlichen Romfeindlichkeit)
    "vermag sich der apokalyptischen Bezeichnungen zu bedie-
    nen". So erinnert Hieronymus in dem Brief, mit welchem er
    Marcella auffordert, nach Bethlehem zu kommen, an jenen
    Namen Babylon wie an die weiteren Worte, mit denen Rom
    in der Offenbarung des Johannes geschildert wird."
94. "Colonus" ist wegen des Bildes hier nur übertragen wieder-
    zugeben; vgl.auch Thes.L.L.III,1712, s.v."colonus" II,Z.
    26. Hier haben wir etwa eine Parallele in Is.54,15 p.614:
    "habitatores quondam idololatriae fiant coloni ecclesiae."
95. Der konkrete römische Staat kann nicht gemeint sein, denn
    die Kaiser der Jahre 382-385, im Westen Valentinian II,
    im Osten Theodosius, kann man nicht als Repräsentanten
    des Heidentums begreifen. Seit Konstantin galten die Kai-
    ser als christlich, die Ausnahme, Julian, wird zum ἀπό-
    στατα . - Seinen Abfall vom vollkommenen Christentum
    drückt Hieronymus also zweifach aus, einmal mit dem bib-
    lischen Motiv der Unzucht mit der Dirne, zum anderen mit
    dem staatsrechtlichen Begriff des Lebens unter den Ge-

setzen, die für das heidnische Rom galten. Hier in der Ver-
körperung des Heidentums ist der römische Staat negativ gesehen.

96. Ep.127. Principia ist außerdem auch ep.65 gewidmet. Zur
    Person vgl.auch ENSSLIN im gleichnamigen Artikel, RE XXII,
    2,2311-2312.

97. Zur Wandlung von Hieronymus' Einstellung auch MEERSHOEK
    9-1o, gegen HAGENDAHL 313$_6$.

98. Die im Thes.L.L.II, s.v. "Babylon",1654,Z.68-1655,Z.1o
    gegebenen Babylonbilder des Christentums stützen sich be-
    reits auf biblische Aussagen, vor allem in der Interpreta-
    tion von Hieronymus, Rufinus, Augustinus u.a.. Dieselben
    Vergleichspunkte sind genannt: Babylon als Prinzip des
    Bösen oder Babylon als Welt gegenüber dem in Jerusalem
    dargestellten Reich Gottes.

99. Der Prophet Ezechiel sollte die deportierten Juden in Ba-
    bylon aufrütteln, Ezech.1,1-3,15. Vgl.auch ZIMMERLI 2o*
    und FOHRER 1o.

1oo. Vgl.Is.3o,19-26 und 31,1-6

1o1. Luc.1o,3o-35. Während alle anderen biblischen Reminiszen-
     zen Hieronymus' Schuld beschreiben, die moralische Seite
     des Romabenteuers, ist durch dieses Gleichnis nur der
     Mißerfolg charakterisiert, als Strafe gewissermaßen für
     das Verlassen der Stätte des Heils (=Jerusalem). Die Fra-
     ge mag müßig sein, aber sie ist interessant: Hätte Hiero-
     nymus sich auch auf sein ursprüngliches Lebensziel be-
     sonnen, wenn er in Rom nicht gescheitert wäre?

1o2. Hervorhebung von mir.

1o3. Vgl.o.S.26 und Anm.65. Nachdem sich Hieronymus einmal zum
     asketischen Leben entschlossen hat, legt er strenge Maß-
     stäbe an sich selbst; die Tatsache, daß er zögerte, trieb
     ihn damals zur Selbstanklage, ließ ihn sein Fehlverhal-
     ten bereits mit biblischen Gleichnissen ausdrücken. Dem-
     gegenüber zeigt sich nun gemäß der dramatischen Stei-
     gerung der Ereignisse auch eine Steigerung im Ausdruck.

1o4. Ep.46,12. WIESEN kritisiert (36), diese satirische Be-

schreibung zeige, daß Hieronymus an anderen Fehler attak-
kiere, deren er selbst schuldig sei.

1o5. Vgl.FUCHS 54: "Dreihundert Jahre später" (nach Juvenal)
"erneuert sich in Hieronymus aus christlichem Weltgefühl
die Abneigung gegen das Leben in Rom und das Verlangen
nach ruhigeren Bezirken", mit dem Zitat unserer Stelle.

1o6. WIESEN 29-3o nennt den Brief unrealistisch, aber Ausdruck
einer tiefen Sehnsucht.

1o7. Beispielsweise Paulin von Nola (ep.58,5). (Mit CAVALLERA
II 89-91 und EISWIRTH 75-96 - vgl.auch WIESEN 4o - halte
ich diesen Brief für früher als ep.59). Hier entspricht
der Rat, die Einsamkeit zu suchen, gerade nicht der Aufforderung, ins heilige Land zu gehen. Paulin wollte nämlich Jerusalem sehen, aber Hieronymus sucht ihn davon abzuhalten mit Worten, die sich in nichts von dem unterscheiden, was er sonst von Rom zu sagen hat, nur daß der Ausdruck "Babylon" fehlt (WIESEN 39 beschwört ihn herauf);
wiederum ist dies ein Argument dafür, daß in der negati-
ven Zeichnung Roms keine spezielle Feindlichkeit gegenüber dieser Stadt steckt, sondern die Stadt überhaupt
gemeint ist. Vgl.dazu ANTIN 375-39o und 291-3o4.

1o8. Dies ist anscheinend nur von CAMPENHAUSEN, Kirchenväter
erkannt worden, vgl.121: "Erst viele Jahre später ist es
ihm geglückt, die ihm gemäße, individuelle Verbindung von
geistiger Arbeit, Askese und Gemeinschaft zu finden, der
er dann treu geblieben ist".

1o9. Vgl.ep.7o,2. Hier gibt Hieronymus zu verstehen, daß er die
"Weisheit der Welt" gebrauche, wie nach der göttlichen
Vorschrift des Deuteronomiums mit einer gefangenen Frem-
den verfahren werden soll: Geschoren und gereinigt könne
sie eine Israelitin werden. Dasselbe Bild auch ep.66,8.
Vgl.auch WIESEN 41.

11o. Hierzu die Arbeit von FAVEZ, bes.auch 11 und 12.

111. Quaest.hebr.in gen.31,7 p.39.

112. Vgl.HAGENDAHL 13o.

113. Vgl.in Am.1,1 p.213; in Os.5,6-7 p.54; in Agg.praef.p.713,

mit dem Zusatz: "hoc propterea, o Paula et Eustochium,
diximus, ut de ipso statim titulo, qua aetate Aggaeus
propheta cecinerit, agnoscatis". Hieronymus hat freilich
schon in Rom solche lexikalischen Gegenüberstellungen gemacht, vgl.ep.18,1. FAVEZ 12 erwähnt ebenfalls die Synchronismen, ohne einen Bezug zu Rom zu sehen.

114. Über jüdische Privilegien JUSTER I 213-232, hier besonders 224.

115. So in Matth.22,15-16; 22,21; 22,46. Gerade die historischen Anmerkungen sind bei Hieronymus in allen Schriften
sehr zahlreich. Vgl. dazu auch den Aufsatz von MURPHY:
"St.Jerome as an Historian".

116. Das Werk ist die Übersetzung und Bearbeitung des Eusebischen Onomastikon, vgl.u.S.42 mit Anm.141.

117. In KLOSTERMANNs Ausgabe des Onomastikon lassen sich durch
Gegenüberstellung des griechischen und lateinischen Textes sowie die Kenntlichmachung der hieronymianischen Zu-
sätze die Hervorhebungen der Römer bei Hieronymus sehr
gut erkennen, z.B. auch p.9 (zu Asasonthamar), p.43 (zu
Bala) und p.129 (zu Maphaat): Hieronymus setzt jedesmal
"Romanum" oder "Romanorum" dazu, wo Eusebius lediglich
von φρούριον στρατιωτῶν spricht.

118. Jovian, der eben zum Kaiser ernannt worden war, hatte es
eilig, ins Reich zurückzukommen, und gab deswegen ganz
unnötigerweise die Stadt preis, vgl.JONES I 138 und STEIN
264.

119. Die Begebenheit ist von Lucius Quinctius Flamininus über-
liefert, vgl.den Artikel von GUNDEL RE XXIV,1o4o-1o47,
dort besonders 1o45-1o46. Nach HAGENDAHL 213$_1$ ist Hieronymus' Quelle Livius 39,42, doch die Details bei Hieronymus (ein Verbrecher wird hingerichtet, nicht wie bei
Livius ein adliger Schützling des Flamininus aus dem
Stamm der Bojer) läßt eher an Cicero als Gewährsmann denken (Cato mai.42.) Vgl.dazu auch KIENAST 74.

12o. Seine Vorliebe dafür kann man in der KLOSTERMANNschen
Eusebiusausgabe ebenfalls sehr gut beobachten. Zu Hiero-

nymus' sprachlichem Interesse auch kurz FAVEZ 11.

121. In Zach.1,7 p.753; 8,18-19 p.82o.

122. In Matth.22,21 und in Ezech.29,1-3 p.4o3. Dieselbe Angabe auch in der Chronik zum Jahr 49 v.Chr. (Caesar);
ähnlich zu 43 v.Chr. (Augustus).

123. In Soph.2,8-11 p.684. Vgl.LAMMERT, der diese sprachlichen
Angaben als Beispiel für Vulgarismus zitiert.

124. In Gal.lib.2 praef. p.38oC. Hieronymus stellt dabei die
Abstammung der Römer von den Griechen als historische
Tatsache dar.

125. Der Thes.L.L. gibt für "infans" unsere Stelle zur Bedeutung "ex specie parentum significantur liberi" (Bd.VII,1,
II B ß 1348 Z.25-29). Zur Bedeutungsentwicklung von "infans" vgl.HEIMBECHER 5o-61, der auch für die christliche
lateinische Literatur den synonymen Gebrauch von "infantes"
und "liberi" bzw. "parvuli" anmerkt (6o).

126. Zu Hieronymus' Selbstverständnis als Übersetzer und Exeget vgl.FAVEZ 7-14. Zur Übersetzungstechnik des Hieronymus die Arbeit von CUENDET. Hieronymus beruft sich für
das Prinzip des freien Übersetzens, das freilich für den
Bibeltext nicht gilt, auf Cicero, 383.

127. Darüber äußert sich Hieronymus z.B. im Prolog seiner (zweiten) Psalmenrevision: "Psalterium Romae dudum positus
emendaram et iuxta Septuaginta interpretes, licet cursim,
magna illud ex parte, correxeram", oder in ep.27,3, wo er
Beispiele seiner Verbesserungsvorschläge aus den Paulinen
gibt. Zu Hieronymus' Beurteilung der lateinischen Bibel
MEERSHOEK 28-3o.

128. Genauer gesagt hat Hieronymus das Eusebische Werk übersetzt, ergänzt und fortgeführt. Zu den Quellen der Chronik des Hieronymus vgl.die Arbeit von MOMMSEN.

129. Sarkastisch bemerkt Hieronymus einmal, die großen Geister
der Vergangenheit hätten sich mit der Kommentierung des
Isaias abgemüht, "Graecorum dico. ceterum apud Latinos
grande silentium est", in Is.praef. p.3.

13o. GRÜTZMACHER III Kap.1o und CAVALLERA II 115-127. S.auch
     unten S.47.

131. GRÜTZMACHER I 253.

132. Vgl.auch ep.84,2: "laudavi interpretem, non dogmatisten,
     ingenium, non fidem, philosophum, non apostolum".

133. Hom.Orig.in Ier.et Ezech.praef. p.583D-585A. Diese Über-
     setzung hat Hieronymus schon vor seinem zweiten Romaufent-
     halt abgefaßt.

134. Hom.Orig.in Luc.Praef. p. 229-23o.

135. Hieronymus hat bekanntlich nicht nur Origenes, sondern
     auch andere Vorgänger in der Exegese großzügig benützt
     und ist auch dadurch zum Vermittler geworden, zum Über-
     lieferer auch für uns, die wir in seinen Schriften ge-
     wissermaßen einen Überblick bekommen über den damaligen
     Stand der Exegese.

136. GRÜTZMACHERs Ausführungen, die sein ganzes Werk durch-
     ziehen, machen oft den Eindruck, als betrachte er Hiero-
     nymus' Äußerungen durch die Brille rigoristischer Vorur-
     teile. Kann er sich aber gelegentlich davon freimachen,
     beweist er überraschendes Einfühlungsvermögen in den kom-
     plexen Charakter unseres Kichenvaters.

137. Hieronymus sagt nichts über den Grund für diesen aramä-
     ischen Teil: Zur Zeit der Abfassung des Danielbuches setzt
     sich allmählich die aramäische Volkssprache gegenüber
     dem Hebräischen durch, SCHÜRER III 265-266.

138. Im Jahr 393 liegen nach Hieronymus' eigenem Bekunden seine
     Übersetzungen der "sechzehn Propheten" fertig vor, ep.48,4,
     so daß er sich bei seinen Kommentaren von Anfang an darauf
     stützen kann.

139. Dazu zahlreiche Stellennachweise bei GRÜTZMACHER III 1o3.

14o. Zu Rufin vgl.Gennadius vir.ill.17 und ALTANER 392-393.
     S.auch u.S.48ff.

141. Das Namenslexikon fußt vielleicht auf Origenes und Philo,
     das topographische Werk auf Eusebius, vgl. die jeweiligen
     Praefationes und GRÜTZMACHER III 57 und 68. Origenes als
     Quelle für nom.hebr. ist aber abgelehnt bei OPELT (RAC 6,

797-844), Etymologie, nach WUTZ (83o). Zur Quellenfrage
auch SCHANZ-HOSIUS 4,1,467.

142. Nom.hebr.praef. p.59: "libros enim Hebraicarum quaestio-
num nunc in manus habeo, opus novum et tam Graecis quam
Latinis usque ad id locorum inauditum". Vgl.auch quaest.
hebr.in gen.praef. p.1: "ipse respondeat novo operi veniam
concedendam". Dazu SCHANZ-HOSIUS 4,1,467: "Wir haben also
eine kritische Leistung vor uns, welcher der Verfasser
darum großen Wert beimißt, weil sie eine neue literarische
Erscheinung darstelle. Merkwürdig ist, daß Hieronymus sein
doch unbedingt richtiges Verfahren noch besonders zu verteidigen genötigt ist". Die Zeit war damals noch nicht
reif für wissenschaftliche Verfahren, wie wir sie heute
fordern.

143. Quaest.hebr. in gen.praef. p.1-2.

144. A.O. p.2. Zu Hieronymus' Verhältnis zu den Septuaginta
vgl.MEERSHOEK 17-18.

145. Vgl.ep.27, mit der sich Hieronymus gegenüber Marcella
rechtfertigt: "ad me repente perlatum est quosdam homun-
culos mihi studiose detrahere, cur adversus auctoritatem
veterum et totius mundi opinionem aliqua in evangeliis
emendare temptaverim" (27,1). Für einen Esel ertöne die
Leier umsonst, ereifert sich der Kirchenvater, und wem
das Wasser der reinen Quelle mißfalle, der möge eben aus
schmutzigen Bächen trinken (27,1). Gleich darauf nennt
er seine Gegner noch einmal zweibeinige Esel, denen er
mehr mit dem Signalhorn als mit der Leier in den Ohren
dröhnen will (27,3).

146. Z.B.Vulg.Tob.praef.: "arguunt enim nos Hebraeorum studia
et imputant nobis contra suum canonem Latinis auribus
ista transferre". Ähnlich auch in vielen Prologen zu seinen Übersetzungen.

147. Vgl.Hieronymus' Vorwort zur Pentateuchübersetzung: "desi-
derii mei desideratas accepi epistulas, qui quodam prae-
sagio futurorum cum Danihele sortitus est nomen, obsecran-
tis, ut translatum in Latinam linguam de Hebraeo sermone

Pentateuchum nostrorum auribus traderem". Auch schickt
Hieronymus seine Übersetzungen an seinen Freundeskreis
mit der Aufforderung, selbst durch Vergleich festzustellen, "quantum distet inter veritatem et mendacium".

148. Stellvertretend für zahlreiche Beispiele seien genannt
ep.117 an zwei Gallierinnen, Mutter und Tochter, die ge-
trennt voneinander jeweils mit einem Kleriker zusammen-
lebten; um das Mahnschreiben hatte offensichtlich ein
Geistlicher gebeten, 117,1: "quaeso te, inquit, corripias
eas litteris tuis". Aus eigenem Antrieb hatte sich die
Witwe Furia an ihn gewandt, ep.54,1: "obsecras litteris
es suppliciter deprecaris, ut tibi re scribam, immo scribam, quomodo vivere debeas". Dem vornehmen Paulinus von
Nola gibt Hieronymus ebenfalls auf Anfrage Ratschläge,
ep.58,5: "quia igitur fraterne interrogas, per quam viam
incedere debeas, revelata tecum facie loquar". Der Priester Evangelus erhält von Hieronymus Auskunft über das
Verhältnis von Presbytern und Diakonen (ep.146). Nur in
diesem konkreten Fall übrigens spricht Hieronymus der
römischen Kirche eine Sonderstellung ab, werden doch in
Rom die Diakone höhergeschätzt als die Presbyter, und
dies ist, so meint der Presbyter Hieronymus, gegen alle
kirchliche Überlieferung und die allgemeine Gemeinde-
praxis: "nec altera Romanae urbis est ecclesia, altera
totius orbis aestimanda est...si auctoritas quaeritur,
orbis maior est urbe". Daß sich Hieronymus hier so auf-
regt, erklärt sich vielleicht daraus, daß der römische
Bischof Siricius, der vielleicht selbst seine Hand im
Spiel hatte bei den Umtrieben, die zu Hieronymus' Flucht
aus Rom führten (CASPAR 26o), aus dem Diakonenkolleg gewählt worden war (CASPAR 257-258). Es war übrigens nicht
nur Hieronymus, der sich über die römischen Diakone be-
klagte, CASPAR 258.

149. Zu Pammachius wieder PROSOPOGRAPHY: Außer von Hieronymus
erhalten wir über ihn Nachricht von Paulin von Nola und
Palladius. Sein Tod 41o (vgl.u.S.6o) ist auch bezeugt

von Augustin. - ENSSLIN Art. "Pammachius" (RE XVIII,3,
296-298) läßt ihn 4o9 gestorben sein, 297.

150. Aus dem römischen Freundeskreis ist uns noch Domnio be-
kannt, der vermutlich schon ein älterer Herr war (vgl.die
Anrede "pater carissime" in ep.5o,3 und "sancto patri
Domnio" in ep.48,4), ferner Oceanus, ein Freund des Pammachius, den Hieronymus ganz im Gegenteil als "Sohn" an-
redet (ep.69,1.1o; ep.77,1). Oceanus ist ein Verwandter
der Fabiola, mit ihr besucht er nach GRÜTZMACHER einmal
Bethlehem, doch davon erwähnt Hieronymus im Epitaphium
Fabiolas, das er an Oceanus richtet (ep.77), nichts. In
Rufin.3,4, worauf die Annahme sich einzig stützt, kann
nach JÜLICHER 338-339 auch anders verstanden werden. Er
ist auch einer der Wortführer im Origenistenstreit, s.u.
und Empfänger der ep.61.

151. Vgl.oben Anm.84.

152. Ep.66,9.

153. Hieronymus hat großen Respekt vor Rang und Persönlichkeit
seines Freundes, vgl.ep.66,3: "nostris temporibus Roma
possidet, quod mundus ante nescivit. tunc rari sapientes
potentes nobilis Christiani, nun multi monachi sapientes
potentes nobiles. quibus cunctis Pammachius meus sapi-
entior potentior nobilior. magnus in magnis, primus in
primis ἀρχιστρατηγὸς monachorum", ep.77,1:"Pammachio...
brevem epistulam dedi erubescens ad disertissimum virum
plura loqui", in Os.5,6-7 p.55: "in prima urbe terrarum
primum nobilitate et religione".

154. Ep.66,6. Hieronymus tut sich ganz offensichtlich schwer,
an Paulina, deren Epitaphium der Brief ist, etwas lobens-
wertes zu finden (man vgl.dagegen die Briefe 6o,77,1o8
oder 127). Unglücklicherweise war Paulina nämlich eine
ganz durchschnittliche Christin, hatte weder ihr Vermögen
geopfert noch auf die Ehe verzichtet; auch hatte sie keine
Kinder geboren, für deren Tugenden sie evtl. hätte gelobt
werden können. Aber da ihr Gatte nach ihrem Tod Mönch
geworden ist, so ist e r gewissermaßen ihre Hinter-

lassenschaft - und schon gerät die Trostschrift zur Laudatio des Pammachius.

155. Ep.48,4: "audio totius inter urbis studia concitata, audio
pontificis et populi voluntatem pari mente congruere".
(Der römische Bischof war damals Siricius, 384-399, Nachfolger des Damasus, der Brief stammt von 393). - Stellung
und Einfluß des Pammachius in Rom ist ein wenig vergleichbar der Position und dem Wirken des Bischofs Ambrosius in
Mailand, wenn der Einfluß des letzteren auch wesentlich
größer und politisch gesehen relevanter war.

156. Vgl.ep.66,6.11.13; ep.77,1o.

157. Ep.48,1 und 49,1. Der Brief an Marcella ist mit großer
Wahrscheinlichkeit vorher anzusetzen, aber ist im Namen
der Paula und Eustochium an die alte Freundin gerichtet.
In seinem eigenen Namen wendet sich Hieronymus wohl zunächst nicht offiziell nach Rom - wenigstens haben wir
keine Briefe aus der Zeit - schickt aber einige Arbeiten,
vgl.u.Anm.159. Die Paulinenkommentare stammen von 387.

158. Der Brief ist speziell an Pammachius gerichtet.

159. Der Abdiaskommentar und die Kommentare zu Osias sind
Pammachius gewidmet, der Danielkommentar Pammachius und
Marcella, der Galaterkommentar auch Marcella neben Paula
und Eustochium, als Trost zum Tod ihrer Mutter Albina.
Marcella erhält später auch eine Abschrift des Epheser-
kommentars. Dem Eusebius gibt Hieronymus den Matthäuskommentar nach Rom mit. S.dazu die jeweiligen Vorreden.

16o. Vgl.GRÜTZMACHER II 148-149.

161. Adv.Iovin.1,1 sowie ep.48,1 und 49,1.

162. Eine Analyse der Schrift bei OPELT, Streitschriften
37-63.

163. Ep.48,2.

164. Vgl.Anm.1o3. Der Satz stammt aus dem Kontext des Iovinian-
ereignisses.

165. Ausführliche Untersuchungen von BROCHET und HOLL; in den
genannten Biographien ist die Darlegung des Streits zu
finden GRÜTZMACHER III 27-81, CAVALLERA I 195-286 und II

31-43 und KELLY 195-2o8 und 227-258. Unter anderem Aspekt HAGENDAHL 161-183. Die Analyse der Streitschriften c.Ioh. und adv.Rufin. bei OPELT, Streitschriften, 64-82 und 83-118.

166. Vgl.zum Charakter der Römer die lesenswerte Schrift von DEDOUVRES; hier auch die Feststellung (282): "à Rome on n'a pas de goût pour les spéculations philosophiques".

167. Dasselbe Bild vom bischöflichen Klerus als Senat Didym. spir.praef.: "et pharisaeorum condemnavit senatus", nämlich ihn, Hieronymus.

168. Vgl.ep.33, eine Laudatio des Origenes und zugleich Liste seiner Werke, und die Übersetzung der Origeneshomilie über das Hohelied (s.dazu COURCELLE, Lettres grecques 9o-91); im Vorwort sagt Hieronymus: "Origenes, cum in ceteris libris omnes vicerit, in Cantico Canticorum ipse se vicit...tu" (gemeint ist Damasus) "animadvertas, quanti sint illa aestimanda, quae magna sunt, cum sic possint placere quae parva sunt".

169. Vgl.ep.23,5:(Origenes) "damnatur a Demetrio episcopo, exceptis Palaestinae et Arabiae et Phoenices et Achaiae sacerdotibus in damnationem eius consentit orbis."

17o. Vgl.o.S.4o.

171. Zu Rufin vgl.ep.3 und 5,2. S.auch o.S.42[14o].

172. KELLY 2o6: "Either Melania and Rufinus or John himself must have arranged for its transmission and diffusion there".

173. Pammachius wacht auch sonst über den guten Ruf seines Freundes in Rom, vgl.den Fall der übersetzten und unberechtigterweise in Rom kursierenden Epiphaniusbriefe, die Hieronymus Vorwürfe einbrachten (ep.57 de optimo genere interpretandi).

174. Vgl.BROCHET 149-15o, GRÜTZMACHER III 18, CAVALLERA I,224, der freilich meint, es müßten zumindest einige Exemplare zirkuliert sein, vgl.auch II 94-96. Die richtige Erkenntnis BROCHETs (142), das Schreiben sei auf Drängen der römischen Öffentlichkeit entstanden, spräche allerdings

für eine tatsächliche Verbreitung, die von HOLL (315-316) auch angenommen wird.

175. Sie fiel deswegen bei Hieronymus zugleich mit Rufin in Ungnade, so daß er sie, die er in seiner Chronik zum Jahr 374 zunächst lobend erwähnt hatte, bei einer späteren Überarbeitung wieder streicht, vgl.dazu Rufin.apol.adv.Hier. 2,2o und PROSOPOGRAPHY 592-593. ENSSLIN in seinem sonst ausführlichen Artikel über Melania, RE XV,1,415-418, übergeht diese Episode ebenso wie die Tatsache, daß sich Melania die Jüngere, Enkelin der Vorgenannten, mit ihrer Mutter Albina und ihrem Mann Pinianus offensichtlich in den letzten Jahren des Hieronymus bei diesem aufhielt, vgl.ep. 143 und GRÜTZMACHER III 278-279 und PROSOPOGRAPHY 593.

176. Die Geschichte ist nachzulesen Rufin.apol.adv.Hier.1,11: Macarius, der ein Buch gegen die Astrologie schreiben will, hat, während er über Sachproblemen brütet, eine Vision: Ein reichbeladenes Schiff fährt in den Hafen von Rom ein und bringt ihm die Lösung. Gleichzeitig war Rufin in Rom eingetroffen, an den sich Macarius nun wendet; angeblich, um diesem Mann zu helfen, fertigt Rufin seine Übersetzungen an. Hieronymus spielt auf das Ereignis mehrfach an, adv.Rufin.3,29.31.32.

177. Die Autorschaft des Heiligen - das Werk soll in Wahrheit von dem Häretiker Euseb von Caesarea stammen - bestreitet Hieronymus, adv.Rufin.3,12.26. Später kommt er wieder darauf zurück, in Ezech.6,18 p.326, adv.Pelag.praef.519.

178. Es ging vor allem um die Frage der Trinität, vgl.dazu CROUZEL, Les personnes de la Trinité sont-elles de puissance inégale selon Origène, Peri archon?

179. Dieses Vorwort ist aufgenommen in das Corpus der Hieronymusbriefe als ep.8o.

18o. S.o.Anm.15o.

181. Adv.Rufin.3,36. Vgl.auch adv.Rufin.1,3 und ep.83.

182. Hieronymus, der hier natürlich möglichst wörtlich übersetzen muß, um die Manipulationen des Rufin zu erweisen, hat damit nicht "seine Übersetzungsgrundsätze desavouiert"

(GRÜTZMACHER III 46) oder "renounced his own principles of translation " (!), HAGENDAHL 17o.

183. In diesem Brief bekennt sich Hieronymus zur Sachlichkeit, will Rufins Name aus dem Spiel lassen und tut so, als wäre nicht ein einzelner Gegner in Rom gemeint, sondern viele auf dem ganzen Erdkreis: "quia eadem Alexandriae et Romae et in toto paene orbe boni homines super meo nomine iactare consuerunt et tantum me diligunt, ut sine me haeretici esse non possint, omittam personas et rebus tantum et criminis respondebo". Später, adv.Rufin.1,3, führt Hieronymus diesen Satz als Beweis seiner Friedensliebe und Freundesgesinnung an. CAVALLERA stimmt dem zu I 25o.

184. Ep.81,1: "praefatiuncula librorum Περὶ ἀρχῶν ad me missa est, quam ex stilo intellexi tuam esse, in qua oblique, immo aperte ego petor, qua mente sit scripta, tu videris; qua intellegatur, et stultis patet".

185. Rufin hält den Brief daher für nachträglich gefälscht, vgl.adv.Rufin.3,38. In ep.81,2 ist auch zu erkennen, daß Hieronymus seine Freunde zur Versöhnlichkeit gegenüber Rufin gemahnt hatte.

186. Ep.84.Rufin setzt sich in seiner Apologie ausführlich damit auseinander.

187. Paulin von Nola, auch Asket, der ebenfalls Grund gehabt hätte, sich über Siricius zu beklagen, konnte Anastasius dann wiederum rühmen, CASPAR 26o-261 und 285.

188. Vgl.adv.Rufin.3,21.

189. S.o.S.17 mit Anm.15.

19o. Trotz des oft sehr verletzenden Tones sind in Hieronymus' Streitschrift gelegentlich noch versöhnliche Gedanken enthalten. (CAVALLERA nennt sie auch I 254 "relativement moderée"). Danach scheint sich aber Hieronymus' Erbitterung - aus unbekanntem Grund - noch gesteigert zu haben, denn was er später über Rufin äußert, kann man oft nur als Haßtiraden bezeichnen, vgl.neben in Os.lib.2 praef.p.55 und in Is.lib.12 praef.p.466, bes.in Ezech.

praef. p.2 und in Ier.4,41,4 p.21o-211.

191. Daß sich Hieronymus für Roms Glauben mitverantwortlich fühlt, geht auch aus dem Prolog der Schrift gegen die Pelagianer hervor: "Iovinianus...Romanam fidem me absente turbavit", p.519.

192. Eine ähnliche Gegenüberstellung von Roma-orbis 2,14: "cur translaturus haeretica in defensionem eorum praemittis quasi martyris librum et id Romanis auribus ingeris quod translatum totus orbis expavit?"

193. Über Hieronymus' Kehrtwendung in Sachen Origenes wunderte man sich, aber immerhin galt er als eine verläßtliche Autorität, wie man bei Sulpicius Severus nachlesen kann: "illud me admodum permovebat, quod Hieronymus, vir maxime catholicus et sacrae legis peritissimus Origenem secutus primo tempore putabatur, qui nunc idem praecipue vel omnia illius scripta damnaret" (dial.1,7,3). "plane eum boni omnes admirantur et diligunt; nam qui eum haereticum esse arbitrantur, insani sunt. vere dixerim, catholica hominis scientia, sana doctrina", a.O.1,9,5. Hieronymus selbst rühmt sich Jahre später noch im Vorwort zu seinem Jeremiaskommentar: "legat eiusdem operis apologian, quam ante annos plurimos adversum magistrum eius gaudens Roma suscepit". Gemeint ist Pelagius, als dessen Vorläufer Rufin gesehen wird.

194. Stellvertretend für alle soll hier das Beispiel der Marcella genannt werden, der Hieronymus in ep.127 ein Denkmal gesetzt hat. In Kap.7 bescheinigt er ihr, daß sie mit dem ihr eigenen Taktgefühl sogar Priester belehrte (ihre theologischen Kenntnisse erwarb sie sich im Umgang mit Hieronymus) und in Kap.1o wird sie als Initiatorin und treibende Kraft bei der Verurteilung der Origeneshäresien genannt ("damnationis haereticorum haec fuit principium...huius tam gloriosae victoriae origo Marcella est".) Sie vor allem scheint gegen Rufin aufgetreten zu sein, 127,9.

195. Vgl.GRÜTZMACHER III 56-57.

196. Man kann aber nicht so weit gehen zu behaupten, das Papsttum sei nur ein Spielball römischer Christen und der Papst
eine Marionette des einflußreichen römischen Adels (vgl.
auch CAVALLERA I 26o). Denn weder hat sich Siricius zu
Maßnahmen gegen Hieronymus hinreißen lassen noch hat
Anastasius Rufin förmlich verurteilt. Das Papsttum als
solches kristallisierte sich in eben jener Zeit gerade
erst heraus (vgl.auch o.S.2o-21 mit Anmerkungen 38,39 und
45). Der von Hieronymus gebrauchte Ausdruck "sedes apostolica" (adv.Rufin.3,15) für den römischen Bischofssitz wurde
von Damasus kreiert (BATIFFOL 1o4), der Ausdruck "papa",
ausschließlich für den römischen Bischof gebraucht, findet
sich nur bei Ambrosius (BATIFFOL 1o3), während Hieronymus
generell Bischöfe so anspricht (vgl.ep.88 an Theophilus,
ep.1o3 an Augustin u.a.).

197. Es war Ambrosius von Mailand, der mit seinem politischen
Sinn das Symbolisch-Bedeutsame im Vorgehen des Symmachus
erkannte und mit aller Energie einschritt, vgl.KLEIN,
Symmachus 122-14o, ferner die Arbeit von WYTZES. Noch
zwanzig Jahre später hat Prudentius die 2.Relatio des
Symmachus als d i e Verteidigungsschrift des Heidentums
empfunden, so daß er - aus aktuellem Anlaß und für einen
übergreifenden Gedanken (vgl.den Aufsatz von DÖPP) - sie
zur Grundlage seiner Widerlegungsschrift machte.

198. Zu Praetextatus vgl.WYTZES 133-148.

199. Über Stilichos Wirken STEIN 346-387.

2oo. In Dan.2,31-35, vgl.u.S.1o2ff.

2o1. PASCHOUD (214) hält es für wahrscheinlich, daß der Vorwurf
berechtigt ist und Hieronymus aufgrund tendenziöser Infor-
mationen seiner römischen Freunde diese Bemerkung einflie-
ßen ließ.

2o2. Dazu PALANQUE 182-185. Vgl.auch STRAUBs Aufsatz über die
Wirkung der Niederlage bei Adrianopel.

2o3. Die Stelle ist auch zitiert im Aufsatz "Barbar" von OPELT
und SPEYER 272. (Nicht alle diese Stämme, so PALANQUE 184,
seien wirklich Feinde des Reiches gewesen.) Hieronymus'

Einstellung zu den Barbaren ist zwiespältig. Als Bedroher
des Reichsfriedens verabscheut er sie, wie hier, oder
zählt sie nicht als zum befriedeten christlichen orbis
gehörig, vgl.u.S.98 (in Is.2,4 p.3o). Als Christen aber
erkennt er sie als gleichberechtigt an, und sie sind ihm
Beweis für die fortschreitende Christianisierung der ganzen Welt, vgl.u.S.96 mit Anm.68. Damit liegt er ganz auf
der Linie des Denkens seiner christlichen Zeitgenossen,
vgl.den zitierten Aufsatz 271-275.

2o4. Es gibt Belege dafür, daß Hieronymus gelegentlich auch
ohne aktuelle Unglücksereignisse zu pessimistischen Gedanken neigt, die er dann freilich kurz und sachlich
äußert, vgl.in Nah.3,13-17 p.573: "cerne Romam et Constan-
tinopolim cum priori nomine inopiam commutantem. vide
Alexandriam Aegypti caput...huc illuc volitare". Erstaunlich ist dabei, daß hier Rom durchaus keine Sonderstellung
einnimmt, sondern das Weltgeschehen als Ganzes am Beispiel
von (einst) repräsentativen und einflußreichen Städten
betrachtet wird, auch völlig ohne orbis-Romanus-Gedanke.
Der Prophet spricht allerdings vom Untergang Ninives, so
daß von da aus das Städtebeispiel verständlich ist. Eine
pessimistische Sicht auch der kirchlichen Entwicklung
zeigt sich im Vorwort der vita Malchi (Sp.55): "scribere
enim disposui (si tamen vitam Dominus dederit et si
vituperatores mei saltem fugientem me et inclusum perse-
qui desierint) ab adventu salvatoris usque ad nostri
temporis faecem, quomodo et per quos Christi ecclesia
nata sit et adulta, persecutionibus creverit et martyriis
coronata sit; et postquam ad Christianos principes venerit. potentia quidem et divitiis maior, sed virtutibus
minor facta est." Zur pessimistischen Sicht des Hieronymus vgl.auch WIESEN 61-64.

2o5. Dazu PALANQUE 178 und 18o-182.

2o6. Die Überlieferung des Namens ist nicht einheitlich, vgl.
HILBERG, über ihre Person ist sonst nichts bekannt, s.
auch GRÜTZMACHER I 87 u.III 248.

2o7. Die Schilderung ist, wie PALANQUE sagt, "a precise and vivid picture of the great invasion of 4o7", auf die Hieronymus erst jetzt reagiert.

2o8. KÖTTING (RAC 3,1o16-1o24) stellt in seinem Artikel "Digamus" 1o2o-1o21 Hieronymus als einen der Hauptvertreter der Einehe in der Väterzeit heraus. Auch auf heidnische Vorbilder weist gerade Hieronymus immer wieder hin, 1o17-1o19.

2o9. Zu Hieronymus' Reaktion auf den Fall Roms vgl.auch ZWIERLEIN 49-53.

21o. Dies war eine Folge von Stilichos Germanenpolitik; vgl. dazu HAYWOOD 1oo-1o1 und 12o-121: Stilicho ist beurteilt als zu wenig fähig für seine großen Intentionen. - Die Geschichte des "Falls von Rom", zeitlich ausgedehnt bis 5o7,ebenfalls bei HAYWOOD 155-164. Vgl.auch COURCELLE, Grandes Invasions 31-77.

211. Die Fortsetzung des Textes lautet: "meque in captivitate sanctorum putarem esse captivum nec posse prius ora reserare nisi aliquid certa discerem dum inter spem et desperationem sollicitus pendeo aliorumque malis me crucio". Daraus geht eindeutig hervor, daß vor allem das Leid der Menschen Hieronymus erschüttert. ZWIERLEIN, nicht ganz korrekt, bezieht das "Betäubtsein" auf den Schrecken über den Untergang Roms.

212. Vgl.ep.126,2: "hoc autem anno, cum tres explicassem libros (scil.Ezechielis) subitus impetus barbarorum... sic Aegypti limitem, Palaestinae, Phoenices, Syriae percucurrit ad instar torrentis cuncta secum trahens, ut vix manus eorum misericordia Christi potuerismus evadere".

213. Zu den Personen ENSSLIN RE XIV,2,1445-1446. Marcellinus hat auch mit Augustin Briefwechsel unterhalten, 1445.

214. Auf das rhetorische Pathos in diesen Ausführungen hat ZWIERLEIN (der auch den vollständigen Text wiedergibt) 5o-53 hingewiesen; Hieronymus habe das Kolorit rhetorischer Deklamationen verwendet, "um dem Zusammenbruch seiner Romhoffnungen adäquaten Ausdruck zu verleihen",

52-53. Den Kontext aber, das Epitaphium, hat ZWIERLEIN übersehen.

215. Wenn es stimmt, daß das Rhetorische dieser Formulierungen bisher nicht erkannt war (ZWIERLEIN 51), ist dies völlig unverständlich; das Besondere der Form drängt sich geradezu auf.

216. Zum Motiv des Kannibalismus in der Rhetorik ZWIERLEIN 52_{25}.

217. STRAUB, Christliche Geschichtsapologetik 249 sieht in der Tatsache, daß in ep.127,12 unmittelbar hinter Psalmversen Vergil zitiert wird, um Roms Untergang zu beklagen, ein Zeichen der "geistigen Haltung dieses christlichen Gelehrten", daß Rom für ihn nämlich Symbol eines ewigen Friedensreiches gewesen sei. Etwas weniger hoch angesetzt, mehr im Sinn meiner Thesen, PALANQUE 192.

218. PASCHOUDs Meinung, "il est attaché à la Rome idéale, mais il n'est guère tendre envers la Rome réelle", kann nach den vorangegangenen Ausführungen wohl nicht mehr zugestimmt werden.

219. Zwei weitere Briefzeugnisse zum Fall Roms, ep.128 und 13o, müssen daher vorläufig zurückgestellt werden. Auch bereits zitierte Briefe werden unter anderem Aspekt nochmals herangezogen werden müssen.

ANMERKUNGEN ZU TEIL II

1. Darüber SCHÜRER I 295-3o1; kürzer CAH IX 39o-4o4. Eine Übersicht über die Geschichte der römischen provincia Syria von 65 v.Chr. bis 7o n.Chr. gibt SCHÜRER I 3o2-337.

2. Zur Chronologie vgl.die dem Kapitel anhängende Tabelle S.88-89. Der zu unbekannter Zeit in Bethlehem entstandene Traktat zu Johannes zitiert einmal Flavius Josephus mit dem Hinweis auf die Eroberung Jerusalems unter Titus und Vespasian, ohne daß der Gedanke des Strafgerichts ausgedrückt ist.

3. Der Kontext bezieht sich auf die guten Werke; dazu fällt dem Exegeten Titus ein, mit dem er wiederum die Einnahme von Jerusalem assoziiert - die Strafgerichtsvorstellung muß bei ihm zu dieser Zeit sehr stark sein.

4. Zeichensetzung von mir.

5. Vgl.PENNA 3-4.

6. Zur Bärensymbolik im Christentum vgl.ZANKER RAC 1,1145-1157, Art."Bär", 1147. Daß Hieronymus auch bei der Deutung des Bären keine einheitliche Auslegungslinie verfolgt, sondern je nach Kontext erklärt, geht aus diesem Artikel ebenfalls hervor (1147).

7. In ep.12o (vor 4oo) an die Gallierin Hedybia, die Hieronymus zwölf exegetische Fragen vorgelegt hatte, bringt dieser in Zusammenhang mit der Frage, warum Jerusalem einst die heilige Stadt genannt worden sei, ebenfalls diese Gleichsetzung der Bären mit Vespasian und Titus: "egressi sunt duo ursi de silvis gentium Romanarum Vespasianus et Titus et blasphemantes pueros...interfecerunt atque laceraverunt et ex eo tempore Hierusalem non appellatur civitas sancta", ep.12o,8.

8. Zur Diaspora als Folge der römischen Eroberungen SIMON 52-86. Orte jüdischer Diaspora gibt JUSTER I 179-2o9.

9. Zur Auswirkung der Eroberungen der Jahre 7o und 135 vgl. SIMON 19-51.

1o. Von diesem Mann haben wir nur durch Hieronymus' Vorwort Kenntnis; er ist dort angeredet als "mihi omnium quos terra genuit amantissime". GRÜTZMACHER schließt aus diesen Worten wohl auf Landsmannschaft zwischen den beiden Männern und nennt ihn Pannonier (II,218-219); an anderer Stelle (III 178) wird er aber von ihm als Gallier bezeichnet.

11. GINZBERG 299 kennt eine derartige Auslegung des Rabbiners Meir. BRAVERMAN 188 nennt die Gleichsetzung Edoms mit Rom eine alte rabbinische Auslegungstradition.

12. Hieronymus meidet sonst Kommentare zum Neuen Testament, da er sich dank seiner Hebräischkenntnisse im Alten Testament mehr entfalten kann; im übrigen hat er sich eindeutig auf

die prophetische Literatur spezialisiert, vgl.auch PASCHOUD
214.

13. Interessanterweise hat sich Hieronymus entgehen lassen, das
ganze Gleichnis auf die Verwerfung des jüdischen Volkes zu
deuten - vermutlich, weil zu dieser Stelle eine derartige
Auslegungstradition noch fehlte; vgl.dazu auch SCHLATTER
237-238. (Der besprochene V.7 ist zusammen mit V.6 ein Ein-
schub, dessen Topos vom königlichen Strafgericht tatsächlich die Zerstörung Jerusalems meint, so daß das Matthäusevangelium zeitlich danach abgefaßt sein muß, GRUNDMANN I
466-467.)

14. Auch in diesem Zusammenhang wird die Strafgerichtsthese
indirekt vertreten (5,1 p.48o): "...et Romanis potestatibus
subditae percutientur in maxilla tribus Israel".

15. Ich folge hier der Einteilung nach den Matthäusstellen.

16. Eine Beschuldigung der Juden ist auch 27,47 zu finden: Die
Leute, die den Anruf Gottes vom Kreuz herab als Rufen nach
Elias mißverstanden haben, müssen, wie Hieronymus ganz
logisch erklärt, römische Soldaten gewesen sein - es sei
denn, die Juden hätten wieder einmal ganz nach ihrer Gewohnheit die Gelegenheit wahrge ommen, den Herrn zu ver-
leumden. (Diese Auffassung STRACK-BILLERBECK I 1o42; jüdischer Volksglaube sehe Elias als Retter aus der Not an.)

17. Hieronymus spricht hier von der göttlichen Offenbarung, die
auch Heiden (hier der Frau des Pilatus) zuteil wird. Eine
entschiedene Aussage darüber, daß das Heil von den Juden
auf die Heiden übergeht, ist bei Hieronymus nicht zu finden.
Er formuliert nicht schärfer als: (apostoli) "recedant de
Hierusalem, et in toto mundo evangelium praedicent....ut
nequaquam cum Iudaeis blasphemantibus maneant", in Is.52,
11-12 p.585. Dagegen sagt er gelegentlich, die Kirche
Christi werde aus Juden und Heiden gebildet, vgl.in Is.53,
8-1o p.594.

18. Diese Angabe des Hieronymus ist korrekt, wie die moderne
Forschung bestätigt, vgl.Art. "verbera" von FUHRMANN RE
Suppl.IX,1589-1597, dort bes.1592 und 1595 über die Prügel-

strafe in der Kaiserzeit und ihre Verhängung durch stadtrömische Magistrate und Provinzstatthalter.

19. Bemerkenswert ist die aus dem Kontext herausfallende allegorische Deutung der Geißelungs- und Verspottungsszene (27,
27-29 p.268). Es ist denkbar, daß Hieronymus von der pein-
lichen Tatsache ablenken will, daß die Ausführenden römische Soldaten waren.

2o. Die Entlastungstendenz ist stärker noch im Johannes- und
vor allem Lukasevangelium, doch im allgemeinen ist in
allen Evangelien, die ja erst zur Zeit der Heidenmission
abgefaßt wurden, eine apologetisch begründete Schonung der
Römer bzw. des Pilatus und im Gegenzug eine Beschuldigung
der Juden feststellbar, vgl.FEINE-BEHM-KÜMMEL 7o und 126
sowie die Ausführungen von CLARK über die heidenchristliche Tendenz des Matthäusevangeliums. Informativ auch die
Artikel von FASCHER in RE XX,2,1323 und BLINZLER in LThK 8,
5o4-5o5. Nach BLINZLER ist die christliche Überlieferung
des Verhaltens von Pilatus im großen und ganzen richtig,
allerdings habe Pilatus nicht aus Verantwortlichkeit, sondern aus antijüdischer Gesinnung Jesus geschont. Zu Pilatus'
rücksichtsloser Amtsführung auch SCHÜRER I 488-495, nach
Philo.

21. Wie wir wissen (s.tabellarische Übersicht) hat Hieronymus
für den Zachariaskommentar auch Hippolytus benützt (der
außerdem nur noch für den Daniel- und den Matthäuskommentar
herangezogen wurde); die romfeindliche Tendenz der Werke
dieses Bischofs hat Hieronymus in seinen Schriften modifi-
ziert. - Zu Hippolytus vgl.HARNACK, Altchristl.Lit. II,2,
2o9-259; zur Benutzung durch Hieronymus COURCELLE, Lettres
grecques 1o1-1o2.

22. Vgl.die Darstellung der erbeuteten Schätze (Tisch der Schau-
brote, siebenarmiger Leuchter) auf dem Titusbogen in Rom;
dazu KÄHLER RE VII,A1,386-387 (Art. "Triumphbogen").

23. Abd.1 p.355; Is.5,21 p.2o7.

24. Literatur zur Jahrwochenrechnung bei SCHÜRER III 266-267.

25. Zur Vier-Reiche-Lehre vgl.den ersten Abschnitt des über-
    nächsten Kapitels, u.S.1o2ff. In ihrer Anerkennung ist
    auch ein Grund dafür gegeben, daß eine Hervorhebung der
    gegen die Juden gerichteten Strafgerichtsthese kaum noch
    stattfindet.
26. Zur Kritik des Porphyrius am Danielbuch vgl.den Aufsatz
    von LATAIX.
27. Aus Gründen der besseren Übersicht gliedere ich hier nach
    den einzelnen Büchern.
28. Zur Bedeutung des Tempels für das Judentum SIMON 27-28.
29. GINZBERG 282 meint, diese Bemerkung Hieronymus' zeige, daß
    er die entsprechenden Deutungen von Talmud und Midrasch
    zu dieser Stelle gekannt habe.
3o. Zur Rechtsprechung der Juden unter römischer Herrschaft
    JUSTER II 93-215. Nach 398 (der Isaiaskommentar stammt von
    4o8) sind auch für Juden in Palästina ausschließlich die
    Römer zuständig, JUSTER II 117.
31. Interessant ist, daß das "non es recordata" im Propheten-
    wort in der hieronymianischen Auslegung dazu führt, daß das
    Handeln der Juden gegen Jesus sehr milde - als "oblivio" -
    charakterisiert wird.
32. Vgl. die zeitliche Ineinanderschiebung der verschiedenen
    römischen Eroberungen o.S.79 zu Is.32,9-2o p.4o9.
33. Nach Flavius Josephus, wie GLORIE als Testimonium angibt
    (p.55). Auch in 7,22 sind Anklänge an Josephus zu finden,
    GLORIE p.85.
34. In Ier.lib.6 praef.p.29o.
35. Da das CC hier eine andere Einteilung hat, zitiere ich nach
    den dort jeweils am Rand angegebenen Kapitel- und Vers-
    einteilungen des Jeremiastextes.
36. Dardanus, ein hoher Beamter unter Honorius, war politisch
    sehr erfolgreich tätig, vgl.den Artikel von SEECK RE IV,2,
    2179-218o.
37. COURCELLE, Les lettres grecques en occident. De Macrobe à
    Cassiodore, 37-136. COURCELLE untersucht Hieronymus' Kennt-
    nis griechischer Autoren.

38. Eusebius von Emesa ist nur hier genannt; in allen anderen
    Fällen ist immer Eusebius von Caesarea gemeint.

39. Die ausdrücklichen Schuldzuweisungen sind ab dem Isaias-
    kommentar im Verhältnis zur Gesamtzahl der Belege relativ
    gering. Auffallend ist ihr völliges Fehlen in den früher
    kommentierten Isaiasvisionen. Da Hieronymus selbst für
    die Seraphimvisionen (=ep.18 aus dem Jahr 38o, die früheste
    exegetische Arbeit) in 18,1o mitteilt, ein Hebräischlehrer
    habe ihn über die Deutung auf die babylonische Gefangen-
    schaft unterrichtet, ist anzunehmen, daß auch sonst ge-
    legentlich jüdischer Einfluß stärker hervortritt, als man
    im einzelnen nachweisen kann. Diese Annahme wird noch ge-
    stützt durch die Bemerkung des Hieronymus in seinem Vor-
    wort an Amabilis (in Is.lib.5 praef. p.16o): "flagitabas,
    ut tibi decem visiones...historica expositione dissererem
    et omissis nostrorum commentariis...Hebraicam panderem
    veritatem" (vgl.dazu auch PENNA 3o-31, der ausführt, daß
    Hieronymus' exegetisches Vorgehen von den Erwartungen des
    jeweiligen Adressaten abhängt). Der Ausdruck "Hebraica
    veritas" in diesem Zusammenhang ist etwas ungewöhnlich,
    öfter bezeichnet er den hebräischen Urtext als solchen.
    Nach rhetorischem "quid igitur faciam" erklärt sich der
    Exeget schließlich bereit, seinem "ingenium" zu folgen
    - so wenigstens verstehe ich die Worte "malui a te ingeni-
    um meum quam voluntatem quaeri" (die aber vielleicht ver-
    derbt sind und lauten müßten "malui te ingenium meum quam
    voluntatem queri", weil er vorher sagt, daß er dieser Auf-
    gabe eher nicht gewachsen sei als nicht gewollt habe, "me
    non potuisse magis quam noluisse") - und hinzuzufügen, was
    er gelernt habe, doch sicher von seinen jüdischen Gewährs-
    leuten.

4o. Spezifisch u.a. durch GINZBERG, BRAVERMAN; allgemeine Aus-
    führungen auch bei PENNA, zu indirekt übernommenen hebräi-
    schen Quellen bes.22-29; s.auch Literaturverzeichnis dort.

41. Über die Entwicklung speziell der Strafgerichtsthese SIMON
    9o-91. SIMON geht bis zu Sulpicius Severus (92$_2$), um die

Verbreitung dieser Lehre in der alten Kirche zu bezeugen,
Hieronymus berücksichtigt er aber in diesem Punkt nicht.

42. Die Abhängigkeiten sind von GRÜTZMACHER jeweils zu den
einzelnen Schriften aufgelistet. Auf ihn (und auf COUR-
CELLE, Lettres grecques) stütze ich mich bei meinen Überlegungen. Zum Vorgehen des Hieronymus bei Übernahmen vgl.
PENNA Kap."Eclettismo" 1-45.

43. Dazu vor allem COURCELLE, Lettres grecques 88-1oo.

44. Vgl.GRÜTZMACHER III,2o5.214; dem möchte ich nach eigenem
Eindruck zustimmen. Dag.PENNA 36-45. Über die durchgehende
Benützung des Origenes COURCELLE, Lettres grecques 89-9o.

45. Adv.Rufin.1,16: "commentarii quid operis habent? alterius
dicta edisserunt, quae obscure scripta sunt, plano sermone
manifestant, multorum sententias replicant et dicunt: hunc
locum quidam sic edisserunt, alii sic interpretantur. illi
sensum suum et intelligentiam his testimoniis et hac ni-
tuntur ratione firmare, ut prudens lector, cum diversas
explanationes legerit, et multorum vel probanda vel im-
probanda didicerit, iudicet quid verius sit et quasi bonus
trapezita adulterinae monetae pecuniam reprobet". Vgl.auch
in Dan.9,24a p.865.

46. PASCHOUD 214: "On ne saurait douter que les opinions qu'il
reproduit il les fait siennes", sowie 214_{23}.

47. Zur messianischen Deutung der Propheten in den Evangelien
vgl.KÜMMEL 81-82 über die sogenannten Reflexions- und
Erfüllungszitate bei Matthäus.

48. Die rombezogene Auslegung der Drohworte stammt aber bereits aus der jüdischen Exegese, vgl.in eccles.12,1 p.349,
in Ier.31(38),15 p.3o7 oder in Ier.16,16 p.159. Dazu auch
FUCHS, Widerstand 62 Anm.77: "Das ausgebildete theologische
Denken gestattete, dem siegreichen Gegner von vornherein
seinen Platz in dem seit langem feststehenden Weltbilde
anzuweisen", ihn nämlich als Vollzieher des göttlichen
Strafgerichts zu betrachten; ebenso a.O.71: (es war) "überhaupt dem jüdischen Weltverständnis eigen, in dem Unglück,
das man zu erdulden hatte, den Erziehungsplan Gottes

wirksam zu sehen und in der Preisgabe an die Edomiter",
gemeint sind die Römer, "...die Strafe für die eigene
Sündhaftigkeit zu erkennen".

49. Vgl.o.S.85-86 das Zitat aus ep.129. Während die Begrün-
    dung "propter idololatriam" recht sachlich und kurz abge-
    tan wird, brechen sich später, als es um den Tod Christi
    geht, die Emotionen Bahn, wie man an der Diktion unschwer
    ablesen kann.

5o. Zu den theologischen Wurzeln des Antisemitismus vgl.SIMON
    245-25o (246: "Le vrai antisémitisme chrétien est théolo-
    gique"). SIMON führt aus (246), daß für die einen die
    Schuld am Tod Christi der Grund war für die Verwerfung des
    Volkes Israel (dazu ist, obwohl von SIMON nicht genannt,
    unbedingt Hieronymus zu rechnen), daß aber andere wieder
    in dieser letzten großen Schuld nur die Manifestation
    einer langen Reihe von Versagen und Fehlverhalten sehen.
    Vgl.auch HARNACK, Mission I,71: "Kein Christ, mochte es
    auch ein einfacher Judenchrist sein, konnte die Kata-
    strophe des jüdischen Staates, seiner Stadt und seines
    Heiligtums für etwas anderes halten als für die gerechte
    Strafe des Volkes, das den Messias gekreuzigt hatte".

51. GRÜTZMACHER II 127.III 189. BRAVERMAN 2o. Gegen GRÜTZ-
    MACHER bereits PENNA 7. Daß nur so, vom Tod Christi her,
    die Genugtuung über das Leid des jüdischen Volkes zu ver-
    stehen ist, zeigt deutlich die Stelle in Soph.1,16 p.673,
    auch wenn GRÜTZMACHER (II 127) in Verkennung der Hinter-
    gründe gerade diesen Text als Argument für Hieronymus'
    Judenhaß vorbringt.

52. A.O.

53. BRAVERMAN 19-2o bringt verschiedene Zeugnisse für die Ab-
    lehnung hebräischer Traditionen, die ja auch leicht allent-
    halben im hieronymianischen Opus zu finden sind, analysiert
    aber bedauerlicherweise nicht die Gründe. Eine solche Un-
    tersuchung wäre aber wünschenswert, um differenzieren zu
    können, ob Hieronymus jüdische Allegorien aus sachlichen
    Erwägungen ("gesundem Menschenverstand"), oder aufgrund

christlich oder römisch motivierter (diese beiden Elemente sind oft nicht zu trennen) Einwände ablehnt oder tatsächlich aus Judenhaß, wie immer unterstellt wird.

54. Z.B.in Abd.1 p.355: "Iudaei frustra somniant...", in Joel 3,19 p.2o8: "interpretantur...spe vanissima confingentes", oft nur "dicunt", arbitrantur" u.ä. Auffallend die Gegenüberstellung in Dan.2,31-47 p.795: "quod Iudaei et i m - p i u s Porphyrius male ad populum referunt Israel". Nur einmal habe ich gefunden, daß "Iudaei" mit einem polemischen Attribut bedacht wurden: in Is.52,11-12 p.585 heißt es: "cum Iudaeis blasphemantibus". Vgl.auch WIESENs Ausführungen 188-194: Es werden Vorwürfe registriert, mitleidlose Worte, bittersatirische Beschreibung angeblich jüdischer Charakterzüge, aber niemals direkte Ausfälle gegen Juden, direkte beschimpfende Anreden. Auch WIESEN kommt zu dem Schluß, daß Hieronymus' antijüdische Aussagen "biblischen" Ursprungs sind, wie er sagt (198), und spontane Angriffe fehlen (ebd.).

55. Ein Gegenstück dazu haben wir in Hieronymus' Äußerungen ep. 1o7,2: "Getarum rutilus et flavus exercitus ecclesiarum circumfert tentoria et ideo forsitan contra nos aequa pugnat acie, quia pari religione confidunt". Das vorsichtige "forsitan" deutet darauf hin, daß es sich um Hieronymus' ureigenste Idee handelt. - Vgl.auch u.S.113.

56. Daß Hieronymus so denkt, beweisen auch Äußerungen wie in Is.5,26-3o p.82: "exercitus (scil.Romanus), qui non sua, sed domini venerit voluntate". Vgl.auch PASCHOUD 216, der zur Tatsache, daß Hieronymus häufig auf die römischen Eroberungen unter Vespasian und Titus zu sprechen kommt, anmerkt: "Rome joue un rôle important dans la Providence". Der oben angesprochene "altrömische" Aspekt der Strafgerichtsthese verdient aber festgehalten zu werden, schon um den Unterschied zur ganz anderen Haltung Augustins aufzuzeigen, vgl.MAIER 195-198.

57. Vgl.o.S.79 zur Auslegung von Is.29,1-8 p.371.

58. Über den Beginn der Christenverfolgung unter Nero WLOSOK

7-26. Allg. zur Christenverfolgung VOGT und LAST, RAC 2,
1159-1228. Zum Verhältnis Kaiser und Christentum auch
STAUFER, Christus und die Caesaren und SPEIGL, Staat und
Kirche von Domitian bis Commodus.

59. Zu den Schauspielen in den Amphitheatern und dem Verhalten
des Publikums vgl.WEISSMANN 54-59; dort auch Hinweise auf
die Verurteilung der Christen "ad leones".

6o. Den gleichen Fehler römischen Hochmuts - diesmal in christlichem Gewand - tadelt Hieronymus im Prolog zur Revision
der Paulusbriefe: "Romanorum namque plerique tam rudes
erant, ut non intellegant dei se gratia et non suis meri-
tis esse salvatoris".

61. Des Propheten Bitte ist: "ne ergo dimittas eis".

62. Wäre Hieronymus ein Judenhasser, wie GRÜTZMACHER will, hätte
er sich wohl kaum so geäußert, vgl.o.S.92 mit Anm.51

63. Vgl.dazu auch in Is.29,1-8 p.371: "Romani...de vasis quondam dei manubias obtulerunt Capitolio.

64. In Is.2,7 p.32 ist eine überraschende negative Gleich-
stellung von Juden und Römern ausgedrückt: "utraque autem
gens et Iudaeorum et Romanorum per haec verba sugillatur.
quod historiae quoque tam Graecae narrant quam Latinae,
nihil Iudaeorum et Romanorum gente esse avarius. unde et
repetundarum lex constituta est. (Wahrscheinlich ist Hieronymus hier von jemandem abhängig, aber den Zusatz über die
lex repetundarum halte ich für typisch hieronymianisch.)
Zum Vorwurf der jüdischen Habgier von Seiten asketisch ge-
richteter Christen SIMON 252. Dort ist auch Hieronymus'
differenzierte Sicht bezeugt.

65. Zum Vorwurf der Gottlosigkeit der griechischen Philosophie
Min.Fel.38,5-6, die Gegenrede des Octavius auf Caecilius'
Ausführungen, zum angeblich berechtigten Skeptizismus des
Sokrates, Arkesilaos, Karneades und überhaupt der Akademie.
Min.Fel.19 dagegen in Anlehnung an Cic.nat.deor.1,25-43
der Versuch, für den Ein-Gott-Glauben mit Hilfe der grie-
chischen Philosophen zu argumentieren.

66. Zu Antious vgl. HERMANN, Antinous infelix. Besonders

anstößig war für die Christen die Tatsache, daß es gerade
ein Lustknabe war, der zum Gott erhoben wurde, HERMANN
16o-167. Hieronymus selbst hat in seiner Chronik zum Jahr
129 n.Chr. einen fast wertungsfreien Vermerk zu Hadrian und
Antinous.

67. Daß aber für Rom negative Äußerungen hauptsächlich im
Isaiaskommentar zu finden sind, deckt sich mit der Beobachtung aus dem Vorkapitel, daß ab der Zeit der Belagerung
und Einnahme Roms eine gewisse Revidierung von Hieronymus'
naiver Romsicht stattfindet.

68. Ein noch nachdrücklicheres Bild von der christlich gewordenen ganzen Welt zeichnet Hieronymus in seinem Traktat: "De
die Epiphaniorum"(p.531): "consideremus totum orbem,
respiciamus barbaras nationes, Romanum quoque mente lustre-
mus imperium: ubique in Christo credunt, ubique in nostrum
dominum baptizantur". Ein Isaiaswort kurz vor der eben im
Text zitierten Stelle - es ist die Rede von den Schwertern,
die zu Pflugscharen werden, Is.2,4 - läßt Hieronymus in ep.
1o6 an die beiden Goten Sunnia und Fretela Vorhersage des
nun christlich gewordenen orbis sein, denn "quis hoc
crederet, ut barbara Getarum lingua Hebraicam quaereret
veritatem?...dudum callosa tenendo capulo manus et digitis
tractandis sagittis aptiores ad stilum calamumque molles-
cunt et bellicosa pectora vertuntur in mansuetudinem
christianam". - Ganz anders in Eph.2,13 p.5o2C: "alii, qui
nec carne neo spiritu circumcisi sunt, qualis fuit Nabuchodonosor et Pharao et hodie Romanarum gentium multitudo,
quae non credunt in deum". Eine dritte Sicht, die vom gläubigen Römer der pax Romana, der "nur" noch gegen Barbaren
kämpfen muß, in Is.2,4 p.3o. - Nimmt man alle Aussagen zusammen, zeigt sich, daß Hieronymus keine grundsätzliche,
"rassische" Gegnerschaft zu den Barbaren kennt. (Ungläubige)
Barbaren sind schlimm, insofern sie Gegner der (gläubigen)
Römer sind, aber ebenso schlimm sind aus christlichen Er-
wägungen heraus römische Heiden. Sind nämlich die Barbaren
Christen (und dann nicht mehr kriegerisch, folglich auch

keine Feinde des christlichen Rom mehr), entsteht der be-
friedete, der christliche orbis.

69. Auffallend ist hier der Begriff "status Romanus", vgl.SUER-
BAUM 122ff über den Gebrauch von "status" für Staat bei
Tertullian.

70. Vgl.auch: "iste piscator, iste rusticanus de Hierosolyma
perrexit Romam et rusticanus cepit Romam quam eloquentes
capere non potuerunt", tract.in psalm. 81 p.89.

71. PASCHOUD zieht 216-217 in wenigen Sätzen eine Linie von
der Zerstörung Jerusalems zum Friedensgedanken der politischen Theologie, der ausgedrückt sei bei Michäas und
Isaias; er fährt nach kurzer Paraphrase der Textstellen
fort: "Mentionnons encore une opinion de Jérôme sur la
monarchie". Von dieser war aber im Zusammenhang mit den
genannten Zitaten gar nicht die Rede. Die Auslassung dieses Gedankens (der natürlich von PETERSON stammt) ist
leicht zu erklären, da in diesem sonst ausgezeichneten
Werk (für Hieronymus konnte ich wenigstens die Berück-
sichtigung aller wichtigen Punkte des Romgedankens feststellen) die ungeheure Materialfülle in kurze Ausführungen
gedrängt werden mußte.

72. PETERSON 87-88 und 149$_{147}$.

73. Bezeichnenderweise stellt sich die "descriptio" in der
Chronik zum Jahr 1 v.Chr. ganz anders dar: "Quirinus ex
consilio senatus Iudaeam missus census hominum possessio-
numque describit." (Vgl.auch oben S.98 den Beleg in Is.2,
4.) Daß bei Hieronymus die "descriptio" keine weitere Ausprägung erfahren hat, bereits OPELT, Augustustheologie 46.

74. Vgl.dazu STRAUB, Herrscherideal 113-129.

75. Allg.zum Bild Kaiser Konstantins vgl.VOGT, Konstantin der
Große, dort bes.Teil 3, Kap.4-6, 186-245 und Teil 4, 259-
271.

76. Den weiteren Beleg, den PASCHOUD 217 anführt, halte ich
nicht für sehr überzeugend; der Kontext ist zu speziell:
Hieronymus will einen Mönch überreden, im Kloster zu leben, da doch auch an Beispielen der Umwelt ersichtlich ist,

daß Leitung nötig ist (ep.125,15). Nach meiner Meinung liegt hier im Ausdruck "singulare imperium" der Ton auf dem Begriff "imperium". - Das anscheinend sehr beliebte Herden- und Bienenbeispiel schon bei Min.Fel.18,7, wo es als Argument für Monotheismus gebraucht ist. Minucius Felix seinerseits schöpft aus Sen.clem.1,19,2; vgl.auch Lact.ira 11,4 (die Hinweise auf Seneca und Laktanz verdanke ich der Teubnerausgabe von Minucius Felix von WALTZING).

77. Vgl.o.Anm.68.

78. Bekanntlich sind die Weissagungen des Danielbuches, soweit sie konkrete historische Abläufe im Auge haben, post eventum abgefaßt, und zwar zur Zeit der Makkabäerkämpfe (167-165 v.Chr.), und ihr Inhalt richtet sich unmittelbar gegen den damaligen seleukidischen Eroberer Antiochus IV Epiphanes (vgl.dazu SCHÜRER III 263-267); das hatte bereits Porphyrius, der scharfsinnige und gelehrte Kritiker des Christentums, erkannt. Vgl.dazu LATAIX 165: "Porphyre disait de Daniel à peu près tout ce que les critiques modernes ont pensé découvrir". Der Aufsatz von LATAIX muß auch generell herangezogen werden für die Art und Weise der Auseinandersetzung des Hieronymus mit Porphyrius. - Die historisch richtige Deutung der vier Reiche wäre: das babylonische, das medische, das persische, das griechische (SCHÜRER III 265). Zur Idee der vier Weltreiche auch TRIEBER. Seine Untersuchung läuft aber eher auf zwei Reiche hinaus, da Rom das Assyrerreich ablöse (321-323). Durch Hieronymus sei aber die Idee der vier Weltreiche zum Allgemeingut geworden, 341. Zur Vier-Reiche-Lehre (mit Vergleich von Min.Fel.25,12,Tert.apol.26,1 und der Schrift quod idola dii non sint,5) auch GEISAU in der Einleitung zu seiner Minucius-Felix-Ausgabe XXV-XXVII.

79. Vgl. Hieronymus' Registrierung der jüdischen Strafgerichtsthesen und seine Ablehnung dieser Art von Verständnis der Prophetie im Kap. "Strafgerichtsthese", passim. Informative Ausführungen bei FUCHS 2o-21, dazu 6o-63 und die An-

merkungen 74-77 mit vielen Belegen antirömischer apokalyptischer Literatur des Judentums.

80. Vgl.dazu CAH VIII,284.5o7 (darauf nimmt Dan.11,3o Bezug)
sowie FUCHS 46_{50}. Die jüdische Romfeindlichkeit erwächst
nicht nur aus der Tatsache der römischen Eroberung, sondern
auch aus dem immer wieder auftauchenden Bestreben, das Judentum an seinem Lebensnerv, der monotheistischen, keiner
irdischen Macht dienenden Religion zu treffen und damit
zu zerstören. Römische Herrscher, die das sensible Volk
mit Fingerspitzengefühl behandelten, hatten weniger Schwierigkeiten (Caesar, Augustus, mit Einschränkung auch Clau-
dius, vgl.dazu Hier.in Zach.6,1-8 p.792).

81. FUCHS 69.

82. Reichsabfolgeschemata sind auch in der vorchristlichen Welt
bekannt. Schon Scipio soll das Schicksal der nacheinander
untergegangenen Reiche der Assyrer, Meder, Perser und Ma-
kedonen beklagt haben, GEISAU XXVII. Diese historisch
richtige Aufzählung der sich ablösenden Weltreiche ist
dann wohl kontaminiert worden mit der aus der jüdischen
politischen Theologie gespeisten Weltreichelehre, die wegen
der jüdischen Geschichte die Reihenfolge mit Babylon be-
ginnen lassen muß, obwohl dieses Reich mit dem der Meder
zeitlich zusammenfällt und damit eine exakte Abfolge eigentlich nicht mehr vorhanden ist; vgl.dazu GEISAU XXV und
XXVII. S.auch o.Anm.78. Es ist vielleicht nicht bedeutungs-
los, daß nur Tertullian, der doch einen Neuansatz im apo-
kalyptisch-eschatologischen Verständnis von Rom im Christentum gewagt hat (KLEIN, Tertullian 3o-31), seine Aufzählung
von Babylon her führt.

83. An dieser Stelle scheut Hieronymus sich nicht, parallel
zur Meinung des Christengegners Porphyrius sich an die
historischen Gegebenheiten zu halten; freilich erwähnt er
nur die Makkabäerbücher als Zeitdokument der jüdischen
Leiden, nicht etwa auch Daniel. Vgl.auch MURPHY, Jerome as
an Historian 137.

84. FUCHS 71 zitiert eine völlig auf Rom gemünzte jüdische Auslegung dieser Zachariasstelle: Die römischen Könige seien
gleichzeitig rot, gescheckt und weiß wegen ihrer Vorliebe
für Gold, der Ausplünderung des jüdischen Volkes und der
Last ihrer Herrschaft.

85. In Is.43,1-13 p.489 teilt Hieronymus eine weitere jüdische
Gleichsetzung einer Vierzahl von Begriffen mit vier Völkern mit: Die vom Propheten genannten Wasser seien die
Ägypter, die Flüsse die Babylonier, das Feuer die Makedo-
nen, die Flamme die Römer. Hieronymus allerdings findet
eine Interpretation ansprechender, die unter den aufge-
zählten Naturgewalten die Angriffswut der Christenverfolger versteht, "qui saluti gentium invideant et nolint
sermonem evangelicum praedicari".

86. Für den Zachariaskommentar wie für den Danielkommentar hat
Hieronymus Hippolytus benützt, der ihn hier in seiner Anschauung offensichtlich beeinflußte.

87. Vgl.o.S.55 mit Anm.2o1.

88. Vgl.LATAIX 167 mit Anm.2.

89. Vgl.BRAVERMAN 176; die perserfreundliche jüdische Interpretation ist mit dem drückenden Joch der römischen Besatzung erklärt.

9o. Die Verbindung ist allerdings schon bei Hippolytus hergestellt, FUCHS 77.

91. SUERBAUM hat in seine Untersuchung der Staatsbegriffe
Hieronymus nicht mit einbezogen, verweist aber 289[17] auf
die hier zitierte Stelle für den Gebrauch von "regnum Romanum" bei Hieronymus. Er will sie aber nicht werten, weil
sie im Zusammenhang mit der Vier-Reiche-Lehre, der Lehre
von den quattuor regna also, vorkommt. Der Ansatz ist
richtig, es sind indes noch mehr Stellen zu vermerken, zwei
weitere ebenfalls im Zusammenhang mit der Vier-Reiche-Lehre,
nämlich in Dan.7,11a p.847 ("Romanum regnum") und in Zach.1,
8-13 p.755 ("regnum Romanorum"). Die anderen Fälle dieser
Terminologie lassen sich dadurch erklären, daß Hieronymus
jeweils fremde exegetische Auffassungen zitiert: In Is.21,

11-12 p.2o7 ("regnum Romanum"), in Abd.1 p.355 ("urbem
Romam regnumque Romanorum") und in Is.18,1 p.189 ("regnum
Romanum") lehnt er die Strafgerichtsthese der jüdischen
Exegese ab, in Is.52,11-12 p.585 ("Romanum regnum") distanziert er sich ebenfalls von einer bestimmten (hier aber
christlichen) Auslegung und in Is.11,15-16 p.156 ("regnum
Romanorum") befindet er sich im Gefolge von Eusebius'
Reichstheologie; dies würde die Irrelevanz von Hieronymus'
regnum-Begriff für SUERBAUMs Untersuchungen bestätigen.
Eine Bemerkung sei aber noch gestattet: Es ist richtig,
daß die Weltreichlehre "Einbruchstelle" für die Verwendung
von "regnum Romanum" ist (SUERBAUM 239), doch aus der Beobachtung, daß "regnum" im religiösen Sinn bei Augustin sehr
häufig verwendet wird, zieht SUERBAUM den Schluß, dies sei
abgeleitet aus der Bezeichnung Christi als "rex" und "dominus". Das ist sicher nicht falsch, aber ein Umweg: Der neu-
testamentliche Schlüsselbegriff ist einfach die von Jesus
selbst so bezeichnete βασιλεῖα τῶν οὐρανῶν   (z.B.Matth.5,
3); vor allem dieser Ausdruck ist, über sein Gegenbild, als
das man in der romfeindlichen Apokalyptik den römischen
Staat sah (FUCHS 21-24), eine "Einbruchstelle" für das
bald verbreitete "regnum Romanum".

92. Auch hier ist die Vier-Reiche-Abfolge dargelegt, obwohl sie
durch den Prophetentext nicht nahegelegt wird; es schlägt
sich hier wohl Hieronymus' Beschäftigung mit dieser Thematik nieder.

93. Beispielsweise in Is.19,4 p.194. PASCHOUD, der sicher die
(eindeutige) Parallelstelle im Osiaskommentar nicht verglichen hat, verkennt den Sinn von Hieronymus' Worten über
die "formidulosa bestia", wenn er sagt (215): "Voilà une
exégèse qui ne le cède en rien, quant à l'antiromanisme
à celle d'Hippolyte de Rome!" Zur positiven Wertung von
Macht und Stärke der Römer auch im Judentum FUCHS, Widerstand 46$_{5o}$.

94. Vgl.BRAVERMAN 185-186. Dort auch ergänzend die Bemerkung,
daß der Grund für Daniels Verschweigen des vierten Tieres

darin zu sehen sei, daß dieses schon von Moses (Lev.11,7)
genannt sei; gemeint ist ein Schwein. Weitere Ausführungen
dazu BRAVERMAN 19o-192 (s.auch FUCHS 7o).

95. Vgl.LATAIX 168. In Auslegung des 11.Danielkapitels, wo Hieronymus anfangs immer noch die Deutung auf den Antichrist
bevorzugt, muß er aber bereits zugeben, daß die Schilderungen den Ereignissen unter Antiochus Epiphanes entsprechen,
der nun zum Typus des Antichrist wird: (in Dan.11,28b-3oa
p.92o: "haec autem sub Antiocho Epiphane in imagine praecesserunt: ut rex sceleratissimus, qui persecuturus est
populum dei, praefiguret Antichristum, qui Christi populum
persecuturus est"), um schließlich resigniert festzustellen, daß auch eine Auslegung des Geschehens auf Antiochus
dem Glauben nicht schadet (in Dan.11,44-45 p.932; vgl.
LATAIX 173). Daß Hieronymus dem Porphyrius im Profanwissenschaftlichen Zugeständnisse macht, ist für die Haltung eines Christen nicht ungewöhnlich, GIGON 119. S.auch
wieder MURPHY, Jerome as an Historian 137.

96. LATAIX 168 nennt nur Hippolytus, FUCHS 77 stellt die in
Frage stehende Exegese auf eine breitere Basis (Barnabasbrief, Irenäus und Hippolytus). Es dürfte aber auch weitere, uns nicht erhaltene Zeugnisse dieser Auslegungstradition gegeben haben. Jedenfalls hat auch Laktanz (inst.7)
den Untergang des Reiches und die zu erwartenden Endzeitereignisse verarbeitet, FUCHS 31-35 und 88.

97. Mit Sicherheit kennt Hieronymus den Christengegner nur
durch Vermittlung Eusebs, vgl.COURCELLE 1o2 mit Anm.1o.
Zu Porphyrius und seiner Schrift Κατὰ Χριστιανῶν λόγοι ιε'
vgl.den Art."Porphyrios" von BEUTLER, RE XXII,1,275-
313 (298-299).

98. Vgl.ep.121 praef.: "de oceani litore atque ultimis finibus
Galliarum".

99. Ep.121,11.

1oo. Das Wort ist bei OTTO XLV, in den vorangestellten Nachträgen und Berichtigungen, angeführt. OTTO gibt den Sinn
wieder mit "treffe zu spät Maßregeln" und zieht eine

Parallele zu Prop.2,14,16 "cineri nunc medicina datur..."
Dies kann jedoch nicht der Sinn dieses Ausspruchs sein. Die
Bedeutung muß vielmehr darin liegen, daß ein vorher wich-
tiges Detail nun, da das Ganze in Gefahr ist, unwichtig geworden ist und es sinnlos ist, sich noch darüber aufzuhal-
ten.

1o1. ZWIERLEIN 46: "Der Fall Roms" (spielte) "militärisch und
politisch nur eine untergeordnete Rolle". Vgl.auch vor
allem die Ausführungen HAYWOODSs, der in seinem Buch den
Fall Roms in den Kontext einer "culture in the time of
change" (Überschrift des letzten Kapitels) stellt.

1o2. Vgl.o.S.57.

1o3. Vgl.SCHNEIDER I 567 über den Schuld- und Sühnegedanken im
römischen Christentum (im Gegensatz zum griechischen).

1o4. Man kann an dieser Stelle nicht umhin, Hieronymus einen
grundsätzlichen Pessimisten zu bescheinigen (vgl.dazu o.S.
56 mit Anm.2o4). Anders ist es nicht zu erklären, daß sich
ihm Untergangstheorien unwidersprochen aufdrängen; letztlich ist auch sein rigoroses Asketentum ein Beweis für
seine negative Einstellung.

1o5. Vgl.o.S.57. Nur durch unmittelbares Betroffensein, so
konnten wir feststellen, wird Hieronymus bewegt, über
politische Ereignisse nachzudenken.

1o6. Auch GRÜTZMACHER hat übrigens bereits einen Zusammenhang
zwischen Asketentum und politischer Unsicherheit festgestellt, III 247: "Es ist verständlich, daß bei der Auf-
lösung der alten Welt das Evangelium der Weltflucht in
immer steigendem Maße Widerhall finden mußte. Durch alle
Briefe des Hieronymus in dieser seiner letzten Lebensperi-
ode klingt es laut hindurch: Der vollkommene Christ muß
alles hingeben, was er hat." Als Beispiel nennt GRÜTZ-
MACHER ep.125, die hier nicht behandelt ist, weil kein
eigentlicher Bezug zu Rom besteht. Eine systematische
Untersuchung und Darstellung der Thematik, etwa die Auf-
deckung des Zusammenhangs mit der Strafgerichtsthese,
fehlt aber noch völlig.

1o7. Carm.3,3,7-8. Vgl.HAGENDAHL 257. Die Worte sind gespro-
chen über die vorbildliche Proba, Großmutter der Demetrias,

1o8. CASPAR 3oo sieht diese Stelle (das Lob für den Vorgänger
von Innozenz also) als Beweis dafür an, daß Hieronymus,
anders als andere Zeitgenossen, mit Stillschweigen über
die Tatsache hinweggegangen sei, daß Innozenz sich bei
der Einnahme Roms in Ravenna aufgehalten habe (dazu auch
CASPAR 298). Doch die Worte des 128.Briefes "pereunt cum
pastoribus greges, quia sicut populus, sic sacerdos" und
die Klage, es fände sich keiner, der dem Zorn Gottes ent-
gegentrete, sprechen eigentlich eine deutliche Sprache.

1o9. Ep.142, aus dem Jahr 418 oder später.

ANMERKUNGEN ZUM ANHANG

1. S.vor allem die zugehörige Anmerkung 48.
2. ADRIAEN gibt in seinem Text als Testimonium nur Dan.2,
34-35.
3. WEISS (Theologisches Wörterbuch zum Neuen Testament 7,
695) notiert für das Alte Testament die "Vorstellung
eines Rachens, der zerreißt, frißt, verschlingt, was ihm
nicht zu entfliehen vermag." Ein genanntes Beispiel dazu
ist Ps.22,22 der Rachen eines Löwen. Denkbar ist aber,
daß hier die Wortverbindung aus dem klassisch-heidni-
schen Kontext stammt, z.B. aus dem von Hieronymus viel-
benutzten Vergil (s.dazu Thes.L.L.IV,1238,Z.45-47). Verbindungen christlicher und heidnischer Topoi sind bei
Hieronymus häufig, vgl.auch o.Anmerkung 217. HAGENDAHL
hat diese Stelle allerdings nicht vermerkt, vgl.sein
Register 4o6.
4. Vgl.auch o.Anmerkung 39 zu Teil II.

LITERATURVERZEICHNIS

1. Benutzte Ausgaben der Werke des Hieronymus:
    a) CC=Corpus Christianorum, Series Latina, Turnhout:
       Bd.72, 1959:
       Hebraicae quaestiones in libro geneseos,
       ed. P. de Lagarde.
       Liber interpretationis Hebraicorum nominum,
       ed. P. de Lagarde.
       Commentarioli in Psalmos, ed. G.Morin.
       Commentarius in ecclesiasten, ed. M.Adriaen.
       Bde. 73 u. 73A, 1963:
       Commentariorum in Esaiam libri I-XI, in Esaiam libri
       XII-XVII, ed. M.Adriaen.
       Bd.74, 1960:
       In Hieremiam prophetam libri VI, ed. S.Reiter.
       Bd.75, 1964:
       Commentariorum in Hiezechielem libri XIV, ed. F.Glorie.
       Bd.75A, 1964:
       Commentariorum in Danielem libri III(IV), ed. F.Glorie.
       Bd.76, 1969:
       Commentarii in prophetas minores (Osee, Ioelem, Amos,
       Abdiam, Ionam, Michaeam), ed. M.Adriaen.
       Bd.76A, 1970:
       Commentarii in prophetas minores (Naum, Abacuc, Sopho-
       niam, Aggaeum, Zachariam, Malachiam), ed. M.Adriaen.
       Bd.77, 1969:
       Commentariorum in Matheum libri IV, ed. D.Hurst et
       M.Adriaen.
       Bd.78, 1958:
       Tractatus sive Homiliae in Psalmos, in Marci Evangelium
       aliaque varia argumenta, ed. G.Morin (Editio altera
       aucta et emendata).
       Bd.79, 1982:
       Contra Rufinum, ed. P.Lardet.

b) PL=J.P.Migne, Patrologiae cursus completus. Series Lati-
na. Paris:
Bd.23, 1883:
Vita S.Pauli primi eremitae.
Vita S.Hilarionis.
Vita Malchi monachi.
Regulae S.Pachomii translatio Latina.
Interpretatio libri Didymi de Spiritu Sancto ad Pauli-
nianum.
Dialogus contra Luciferianos.
Liber de perpetua virginitate B.Mariae.
Adversus Iovinianum libri duo.
Liber contra Vigilantium.
Liber contra Ioannem Hierosolymitanum.
Apologia adversus libros Rufini.
Dialogus adversus Pelagianos.
Liber de situ et nominibus locorum Hebraicorum.
Interpretatio homiliarum duarum Origenis in Canticum,
ad Damasum papam.
Bd.25, 1884:
Translatio homiliarum Origenis in Ieremiam et Ezechielem.
Bd.26, 1884:
Translatio homiliarum Origenis in Lucam, ad Paulam et
Eustochium.
Commentarius in epistolam S.Pauli ad Galatas.
Commentarius in epistolam S.Pauli ad Ephesios.
Commentarius in epistolam S.Pauli ad Titum.
Commentarius in epistolam S.Pauli ad Philemonem.
c) CSEL=Corpus Scriptorum Ecclesiasticorum Latinorum, Wien:
Bd.49, 1916:
Victorini Episcopi Petavionensis Opera. Commentarii in
Apocalypsin. Editio Victorini et recensio Hieronymi,
ed.Haussleiter.
Bd.54, 1910:
Sancti Eusebii Hieronymi epistulae 1-70, ed. I.Hilberg.
Bde.55-56, New York 1961 (Nachdruck der Ausgabe

Wien 1912):

Sancti Eusebii Hieronymi epistulae 71-154,

ed. I.Hilberg.

d) andere Ausgaben:

Die Chronik des Hieronymus, ed. R.Helm, Berlin 1956.

GCS=Die griechischen christlichen Schriftsteller der
ersten Jahrhunderte, Bd.47 (Eusebius VII).

Hieronymus und Gennadius, De viris inlustribus,
ed. C.A.Bernoulli, Frankfurt 1968 (Unveränderter
Nachdruck der Ausgabe Freiburg 1895).

Die Praefationes zu den Bibelübersetzungen des Hieronymus
wurden eingesehen in: Biblia sacra iuxta Vulgatam versio-
nem, rec. R.Weber O.S.B., Stuttgart 1969.

2. Andere antike Autoren:

Eusebius, Das Onomastikon der biblischen Ortsnamen, ed.
E.Klostermann. Hildesheim 1966 (Nachdruck der Ausgabe
Leipzig 19o4. GCS 11,1, Eusebius III,1).

Minucius Felix, iter.ed. J.P.Waltzing, Leipzig 1926.
- ed. H.v.Geisau, Münster [4]1966.

Sulpicii Severi libri qui supersunt, ed. C.Halm, CSEL 1,
Wien 1866.

3. Verzeichnis der Sekundärliteratur einschließlich der be-
nützten Abkürzungen:

ALTANER,B., STUIBER,A., Patrologie. Leben, Schriften und Lehre
der Kirchenväter, Freiburg [7]1966.

ANTIN,P., Recueil sur Saint Jérôme. Collection Latomus XCV,
Brüssel 1968.

BARDENHEWER,O., Geschichte der altkirchlichen Literatur, 5 Bde.,
Darmstadt 1962 (Nachdruck der Ausg.Freiburg 1913-1932).

BATIFFOL,P., Papa, sedes apostolica, apostolatus, Rivista di
Archeologia Cristiana 1925, 99-116.

BEUTLER,R., Art."Porphyrios", RE XXII,1,275-313.

BLINZLER,J., Art."Pilatus", LThK 8, 5o4-5o5.

BRAVERMAN,J., Rabbinic and patristic tradition in Jerome's

Commentary on Daniel. Diss.New York 197o.

BROCHET,J., Saint Jérôme et ses ennemis. Étude sur la querelle de Saint Jérôme avec Rufin d'Aquilée et sur l'ensemble de son oeuvre polémique, Paris 19o5.

CAH=The Cambridge Ancient History, hrsg.v.I.E.S.EDWARDS, C.J.GADD und N.G.L.HAMMOND.

CAMPENHAUSEN,H.v., Ambrosius von Mailand als Kirchenpolitiker. Arbeiten zur Kirchengeschichte 12, Berlin 1929.

- Lateinische Kirchenväter, Stuttgart ^{2}1965.

CASPAR,E., Geschichte des Papsttums I, Tübingen 193o.

CAVALLERA,F., Le schisme d'Antioche, Paris 19o5.

- Saint Jérôme, sa vie et son oeuvre, 2 Bde. Louvain 1922.

CLARK,K.W., Die heidenchristliche Tendenz im Matthäusevangelium, in: Das Matthäusevangelium, ed. J.LANGE, Darmstadt 198o, 1o3-111.

COMERFORD LAWLER,Th., Jerome's First Letter to Damasus, in: Kyriakon. Festschrift Joh.Quasten II, Münster 197o, 548-552.

COURCELLE,P., Histoire littéraire des grandes invasions germaniques, Paris ^{3}1964.

- Les Lettres grecques en Occident. De Macrobe à Cassiodor, Paris 1948.

CROUZEL,H., Les personnes de la Trinité sont-elles inégales selon Origène, Peri archon...? Gregorianum 57, 1976, 1o5-123.

CUENDET,G., Cicéron et Saint Jérôme traducteurs, Revue des Études Latines 11, 1933, 38o-4oo.

DEDOUVRES,L., Les latins peints par eux-mêmes, Paris 19o3.

DELEHAYE,H., Les origines du culte des martyrs, Subsidia hagiographica 2o, Brüssel ^{3}1933.

DÖPP,S., Prudentius' Gedicht gegen Symmachus, Anlaß und Struktur. JbAC 23, 198o, 65-81.

DUCKETT,E.S., Latin writers of the fifth century, USA 1969.

EHRHARDT,A.A.T., Politische Metaphysik von Solon bis Augustin, 3 Bde., Tübingen 1959-1969.

EISWIRTH,R., Hieronymus' Stellung zu Literatur und Kunst,
Wiesbaden 1955.

ENSSLIN,W., Art. "Marcella", RE XIV,2,1437.

- "Marcellinus und Anapsychia", RE XIV,2,
  1445-1446.
- "Melania", RE XV,1,415-418.
- "Pammachius", RE XVIII,3,297.
- "Principia", RE XXII,2,2311-2312.

FASCHER,E., Art. "Pilatus", RE XX,2,1323.

FAVEZ,C., Saint Jérôme peint par lui-même. Collection Latomus
XXXIII, Brüssel 1958.

FEINE,P., BEHM,J., KÜMMEL,W.G., Einleitung in das Neue Testament, Heidelberg [16]1969.
KÜMMEL,W.G., Einleitung in das Neue Testament, 17.völlig
neubearbeitete Auflage der Einl. in das Neue Testament von
P.FEINE u. J.BEHM, Heidelberg 1973.

FISCHER,J., Die Völkerwanderung im Urteil der zeitgenössischen
kirchlichen Schriftsteller Galliens unter Einbeziehung des
heiligen Augustinus, Heidelberg 1948.

FISKE,A., Hieronymus Ciceronianus. Transactions and Pro-
ceedings of the American Philological Association 96, 1965,
119-138.

FOHRER,G., Die Propheten des Alten Testaments 3. Die Propheten des frühen 6. Jahrhunderts, Gütersloh 1975.

FUCHS,H., Der geistige Widerstand gegen Rom in der antiken
Welt, Berlin [2]1964.

FUHRMANN,M., Art."verbera", RE Suppl. IX, 1589-1597.

GIGON,O., Die antike Kultur und das Christentum, Darmstadt
1966.

GINZBERG,L., Die Haggada bei den Kirchenvätern IV. Der Kommentar des Hieronymus zu Jesaja, in: Jewish Studies. In Memory
of G.A.Kohut, ed. S.BARON and A.MARX, New York 1935,
279-314.

GRÜTZMACHER,G., Hieronymus. Eine biographische Studie zur alten
Kirchengeschichte, 3 Bde., Aalen 1969. (Neudruck der Ausgabe
Leipzig 1901 (Bd.1) und Berlin 1906-1908 (Bde.2 und 3)).

GRUNDMANN,W., Das Evangelium nach Matthäus. Theologischer Handkommentar zum Neuen Testament I, Berlin 1968.

GUNDEL,H., Art."L.Quinctius Flamininus", RE XXIV, 1o4o-1o47.

HAGENDAHL,H., Latin Fathers and the Classics, Göteborg 1958.

HARNACK,A.v., Geschichte der altchristlichen Literatur bis Eusebius, 4 Bde., Leipzig ^{2}1958.

- Mission und Ausbreitung des Christentums in den ersten drei Jahrhunderten, 2 Bde., Leipzig 1965 (Nachdruck der Ausg. Leipzig 1924).

HARTMANN,L.N., St.Jerome as an Exegete, in: MURPHY, A Monument to St.Jerome, 35-81.

HAYWOOD,R.M., The Myth of Rome's Fall, Westport 1979 (Nachdruck von 1958).

HEIMBECHER, W., Begriff und literarische Darstellung des Kindes im republikanischen Rom. Diss.Freiburg 1958.

HERMANN,A., Antinous infelix. Zur Typologie des Heiligen-Unheiligen, in: Mullus. Festschrift Th.Klauser. JbAC Erg. Bd.1, 1961, 155-167.

HOLL,K., Die Zeitfolge des ersten origenistischen Streites, in: Karl HOLL, Gesammelte Aufsätze II, Der Osten, Darmstadt 1964, 31o-335. Mit einer Stellungnahme von A.JÜLICHER, 335-35o.

JbAC=Jahrbuch für Antike und Christentum.

JONES,A.M.H., The Later Roman Empire, 3.Bde., Oxford 1964.

JONES,A.M.H., MARTINDALE,J.R., MORRIS,J., The Prosopography of the Later Roman Empire I, 26o-395, Cambridge 1971.

JÜLICHER s.HOLL.

JUSTER,J., Les Juifs dans l'Empire romain. Leur condition juridique, économique et sociale, 2 Bde., New York 1965 (Nachdruck der Ausgabe Paris 1914).

KÄHLER,H., Art."Triumphbogen", RE VII A1, 386-387.

KELLY,J.N.D., Jerome. His life, writings and controversies. London 1975.

KIENAST,D., Cato der Zensor, Heidelberg 1954.

KITTEL, G., Theologisches Wörterbuch zum Neuen Testament, Stuttgart 1933ff.

KLAUSER,Th., Christlicher Märtyrerkult, heidnischer Heroen-
    kult und spätjüdische Heiligenverehrung. Neue Einsichten
    und Probleme, in: Gesammelte Arbeiten zur Liturgiege-
    schichte, Kirchengeschichte und christlichen Archäologie.
    JbAC Erg.Bd.3, 1974, 221-229.
- Das römische Petrusgrab im Lichte der neuen Ausgrabungen
    unter der Peterskirche, Köln 1956.
KLEIN,R., Symmachus, Impulse der Forschung 2. Darmstadt 1971.
- Tertullian und das römische Reich, Bibliothek der Klassi-
    schen Altertumswissenschaften, Neue Folge. 2.Reihe. Bd.2.
    Heidelberg 1968.
KLINGNER,F., Römische Geisteswelt, München [5]1965.
KNOCHE,U., Die augusteische Ausprägung der Dea Roma, in: Vom
    Selbstverständnis der Römer, Gymnasium Beih.2, 1965,
    145-173.
- Ein Sinnbild römischer Selbstauffassung, in: Vom Selbstver-
    ständnis der Römer 125-143.
KOCH,K., Roma aeterna, Gymnasium 59, 1952, 128-143 und 196-
    2o9.
KÖTTING,B., Art."Digamus", RAC 3, 1o16-1o24.
KÜMMEL s. FEINE.
LAMMERT,F., Die Angaben des Kirchenvaters Hieronymus über
    vulgäres Latein, Philologus 75, 1919, 395-413.
LATAIX,J., Le commentaire de St.Jérôme sur Daniel, Revue
    d'Histoire et de Littérature Religieuses II, 1897.
LIPPOLD,A., Art."Paula", RE Suppl.X, 5o8-5o9.
LThK=Lexikon für Theologie und Kirche.
MAIER,F.G., Augustin und das antike Rom. Tübinger Beiträge
    zur Altertumswissenschaft 39, Stuttgart 1955.
MANSI,J.D., Sacrorum Conciliorum Nova et Amplissima Collectio
    III, Graz 196o (Nachdruck der Ausgabe Paris 19o1).
MARROU,H.-I., Geschichte der Erziehung im klassischen Alter-
    tum, Freiburg 1957.
MAZZARINO,S., Das Ende der antiken Welt, München 1961.
MEERSHOEK,G.Q.A., Le Latin biblique d'après Saint Jérôme.
    Aspects linguistiques de la rencontre entre la Bible et

le monde classique. Nijmegen 1966.

MOMMSEN,Th., Über die Quellen der Chronik des Hieronymus, in:
Gesammelte Schriften Bd.7, Berlin [2]1965, 6o6-632.

MÜLLER,A., Studentenleben im 4.Jahrhundert nach Christus,
Philologus 69, NF 23, 191o, 292-317.

MURPHY,F.X., A Monument to St.Jerome. Essays on some aspects
of his life, works and influence, New York 1952.

- St.Jerome as an Historian, in: A Monument to St.Jerome,
115-141.

NAUTIN,P., La date des Commentaires de Jérôme sur les épîtres
pauliniennes, Revue d'Histoire Ecclésiastique 74, 1979, 5-12.

NORDEN,E., Antike Kunstprosa. Vom VI.Jahrhundert vor Chr. bis
in die Zeit der Renaissance, 2 Bde., Darmstadt [5]1958.

OERTER,R., Moderne Entwicklungspsychologie, Donauwörth [4]1969.

OPELT,I., Augustustheologie und Augustustypologie, JbAC 4,
1961, 44-57.

- , SPEYER,W., Art."Barbar", JbAC 1o, 1967, 251-29o.

- Art."Etymologie", RAC 6, 797-844.

- Hieronymus' Streitschriften. Bibliothek der Altertumswissen-
schaften, Neue Folge, 2.Reihe, Bd.44, Heidelberg 1973.

- Roma = ' ΡΩΜΗ ' und Rom als Idee, Philologus 1o9, 1965, 47-
56.

OTTO,A., Die Sprichwörter und sprichwörtlichen Redensarten der
Römer, Hildesheim 1962 (Nachdruck der Ausgabe Leipzig 189o).

PALANQUE,J.-R., St.Jerome and the Barbarians, in: MURPHY,
A Monument to St.Jerome, 171-199.

PASCHOUD,F., Roma Aeterna. Bibliotheca Helvetica Romana VII,
Neuchâtel 1967.

PENNA,A., Principi e carattere dell'esegesi di S.Gerolamo,
Scripta Pontificii Instituti Biblici 1o2, Rom 195o.

PETERSON,E., Der Monotheismus als politisches Problem,
Leipzig 1935.

PROSOPOGRAPHY s. JONES / MARTINDALE / MORRIS.

RAC=Reallexikon für Antike und Christentum.

RE=Paulys Realencyclopädie der classischen Altertumswissen-
schaften.

SCHANZ,M., HOSIUS,C., Geschichte der römischen Literatur 4.1,
    Handbuch der Altertumswissenschaften 8.Abt., 4.Teil, 1.Bd.,
    München [2]1959.

SCHLATTER,A., Erläuterungen zum Neuen Testament 1, Calw [2]1968.

SCHNEIDER,C., Geistesgeschichte des antiken Christentums,
    2 Bde., München 1954.

SCHÜRER,E., Geschichte des jüdischen Volkes im Zeitalter Jesu
    Christi, 3 Bde., Leipzig 19o1-19o9.

SEECK,O., Art."Asella", RE II,2, 1531.
               - "Dardanus", RE IV,2, 2179-218o.

SIMON,M., Verus Israel, Études sur les relations entre
    chrétiens et Juifs dans l'Empire romain (135-425),
    Paris 1964.

SPEIGL,J., Staat und Kirche von Domitian bis Commodus,
    Amsterdam 197o.

STAUFFER,E., Christus und die Caesaren, Hamburg [6]1964.

STEIN,E., Geschichte des spätrömischen Reiches. Vom römischen
    zum byzantinischen Staate (284-476 n.Chr.), Wien 1928.

STRACK,H., BILLERBECK,P., Kommentar zum Neuen Testament.
    Erster Band: Das Evangelium nach Matthäus, München 1969.

STRAUB,J., Calpurnia univiria, in: Regeneratio Imperii
    35o-368.

- Christliche Geschichtsapologetik in der Krisis des römi-
    schen Reiches, in: Regeneratio Imperii, 24o-27o.

- Die Wirkung der Niederlage bei Adrianopel auf die Diskus-
    sion über das Germanenproblem in der spätrömischen Litera-
    tur, in: Regeneratio Imperii, 195-219.

- Regeneratio Imperii. Aufsätze über Roms Kaisertum und
    Reich im Spiegel der heidnischen und christlichen Publi-
    zistik, Darmstadt 1972.

- Vom Herrscherideal in der Spätantike, Stuttgart 1964
    (Nachdruck von 1939).

SUERBAUM,W., Vom antiken zum frühmittelalterlichen Staatsbe-
    griff. Orbis Antiquus 16/17, Münster [2]197o.

Theologisches Wörterbuch zum Neuen Testament s.KITTEL.

Thes.L.L.=Thesaurus Linguae Latinae.

THRAEDE,K., Art."Frau", RAC 8, 197-269.

TRIEBER,C., Die Idee der vier Weltreiche, Hermes 27, 1892, 321-344.

VOGT,J., Constantin der Große und sein Jahrhundert, München 1960 (Nachdruck der Ausgabe von 1949).

- , LAST,H., Art."Christenverfolgung", RAC 2, 1159-1228.

WACHTEL,A., Beiträge zur Geschichtstheologie des Aurelius Augustinus. Bonner historische Forschungen 17, Bonn 1960.

WEISSMANN,W., Kirche und Schauspiele. Cassiciacum 27, Würzburg 1972.

WIESEN,D., St.Jerome as a Satirist. A Study in Christian Thought and Letters, Ithaca 1964.

WLOSOK,A., Rom und die Christen, Stuttgart 1970.

WYTZES,J., Der letzte Kampf des Heidentums in Rom, Leiden 1977.

ZANKER,S., Art."Bär", RAC 1, 1145-1147.

ZIMMERLI,W., Biblischer Kommentar. Altes Testament. Ezechiel 1, Neukirchen-Vluyn 1969.

ZWIERLEIN,O., Der Fall Roms im Spiegel der Kirchenväter, Zeitschrift für Papyrologie und Epigraphik 32, 1978, 45-80.